D0656933

Périple vers la paix intérieure

Le chemin de l'amour

Données de catalogage avant publication (Canada)

Marie-Lou, 1955-

Périple vers la paix intérieure: le chemin de l'amour

(Collection Vos richesses intérieures)
Publié antérieurement sous le titre: Vers la lumière.
Comprend des références bibliographiques

ISBN 2-89225-506-6

1. Vie spirituelle – Christianisme. 2. Actualisation de soi – Aspect religieux – Christianisme. 3. Dieu – Amour. 4. Lumière – Aspect religieux – Christianisme. 5. Pardon – Aspect religieux – Christianisme. I. Claude, 1941- . II. Titre. III. Titre: Vers la lumière. IV. Collection.

BV4502.M37 2002 248.4 C2002-941671-X

Dépôts légaux: 4e trimestre 2002

Bibliothèque nationale du Québec
Bibliothèque nationale du Canada
Bibliothèque nationale de France

Nouvelle édition revue et augmentée

Conception graphique de la couverture:
OLIVIER LASSER

Photocomposition et mise en pages:
COMPOSITION MONIKA, QUÉBEC

ISBN 2-89225-506-6 (publié précédemment par les éditions Médiaspaul, ISBN 2-89420-129-X sous le titre *Vers la lumière, le chemin du pardon* et par les éditions Médiaspaul. ISBN 2-89420-381-0 sous le titre *In Search of the Light, The Road to Forgiveness*)

Nous reconnaissons l'aide financière du gouvernement du Canada par l'entremise du Programme d'Aide au Développement de l'Industrie de l'Édition pour nos activités d'édition (PADIÉ) ainsi que le gouvernement du Québec grâce au ministère de la Culture et des Communications (SODEC).

Imprimé au Canada

Marie-Lou et Claude

Périple vers la paix intérieure

Le chemin de l'amour

Les éditions Un monde différent ltée
3925, Grande-Allée
Saint-Hubert (Québec)
Canada J4T 2V8
Tél.: (450) 656-2660
Site Internet: *http://www.umd.ca*
Courriel: *info@umd.ca*

*À toi qui cherches la Lumière,
tu la découvriras sur le chemin
de l'amour.*

TABLE DES MATIÈRES

REMERCIEMENTS

À ma fille Diane, belle adolescente, pour ta douceur et ton authenticité. Je t'aime.

À Claude, pour ton aide rédactionnelle, et surtout, pour ton amitié indéfectible dans les épreuves comme dans les périodes ensoleillées de ma vie.

À Linda et Hélène, sœurs pour l'éternité, complices d'une jeunesse échevelée et désordonnée... Sans vous, le mot amour ne connaîtrait pas sa pleine grandeur.

À Denise et la famille Hamel pour votre soutien et votre amour inconditionnels, même lorsque certaines de mes saisons demeuraient froides et glaciales.

À François Houle, mon frère d'âme, mon «remarquable» complice dans le rire et dans la peine.

À Claude Lahaise, dont l'amitié inestimable demeure intacte depuis l'adolescence.

À Marielle Rousseau, amie de parcours, amie de toujours.

À André et Justina, pour nos merveilleux partages.

À Francine Pepin, pour ton témoignage réconfortant.

À Jean-Guy Vincent, collaborateur hors pair

À Marie-Josée Tardif, pour ta précieuse amitié et collaboration.

À Michel Ferron, pour ton professionnalisme exemplaire et surtout pour ta joyeuse complicité.

À Lise Labbé, parce que tu es unique et exceptionnelle!

À Paul-Émile Dostie, mon ami dans la lumière, une partie de mon cœur est avec toi, là-haut... On se reverra...

Finalement, un merci des plus sincères à ces âmes qui, dans l'invisible, veillent sur nous et nous guident vers la paix intérieure.

NOTE DE MARIE-LOU

Le livre que vous tenez entre les mains n'est pas le fruit du hasard. Il répondra sûrement à votre quête de sens comme il l'a fait pour des milliers de personnes l'ayant lu depuis sa parution en 1998, sous le titre *Vers la Lumière, le chemin du pardon*[*]. Depuis, il a connu deux rééditions, a été traduit en langue anglaise et il a voyagé au Canada, aux États-Unis et en Europe. Nous vous offrons avec plaisir une version complètement remaniée et enrichie de ce best-seller.

Périple vers la paix intérieure, le chemin de l'amour, parle un langage universel et s'adresse à tous ceux et celles qui désirent traverser leur nuit personnelle pour découvrir le magnifique visage

---

* Marie-Lou et Claude, *Vers la Lumière, le chemin du pardon* éditions Médiaspaul, 1998, 198 pages.

de la liberté. Dans ce volume, afin de protéger mon intimité et éviter certaines polémiques, la dimension surnaturelle a été réduite à sa plus simple expression. L'accent porte davantage sur le cheminement spirituel permettant ainsi à toute personne blessée par les circonstances parfois pénibles de la vie, d'accéder à son propre rythme et à sa convenance, à l'autonomie et à la sérénité de l'être.

Que ce livre soit pour vous un passeport pour une vie plus épanouie, d'où jaillira la beauté mystérieuse de l'âme.

Bon périple!

Marie-Lou

N.B.: Les noms de lieux et ceux de certaines personnes ont été volontairement changés pour préserver l'anonymat.

PRÉFACE DE LA NOUVELLE ÉDITION

Lorsque je l'ai rencontrée la première fois, Marie-Lou n'en menait pas large. Ses yeux remplis d'une étrange mélancolie, son visage torturé par la souffrance, ses mains sans cesse en mouvement, son corps penché vers l'avant, comme si le poids de sa douleur était trop lourd à porter, m'indiquaient que ses blessures n'étaient pas encore cicatrisées tant elles étaient profondes. Elles étaient là béantes et chaque parole prononcée maladroitement écorchait vivement son âme, comme si plus rien ne la protégeait. On aurait dit qu'en elle, la vie avait décidé de se mettre en veilleuse...

Devant la force des courants contraires, sans point de repère ni véritable horizon, Marie-Lou a tenté de se raccrocher tant bien que mal à certaines illusions que le monde moderne lui offrait. Pourtant, aucune d'elles ne fut en mesure de restaurer les ruines de son cœur blessé. Malgré les routes empruntées, certaines parfois plus lumineuses et joyeuses, elle ne parvenait pas à guérir complètement ses plaies ni à rejoindre les profondeurs insoupçonnées de son être.

Des circonstances étonnantes, miraculeuses même, lui ont permis de franchir la zone ténébreuse de son existence pour enfin déployer les ailes de sa liberté. Un espoir nouveau, venu à travers un message dans la nuit, lui donna le souffle nécessaire pour dégager, un à un, les décombres de la désillusion et de l'amertume pesant sur son existence.

Témoigner de l'itinéraire de Marie-Lou, c'est un peu comme parcourir le chemin de Damas avec saint Paul ou celui de Saint-Jacques-de-Compostelle. Peu importe l'épaisseur de la nuit, il existe toujours une route, un endroit en ce monde pour reprendre contact avec l'essentiel, un lieu où se repaître et se ressourcer. Et puis un jour, à la croisée spirituelle de l'existence, nous saisissons avec force ce que l'écrivain Charles Le Quintrec a si bien formulé: «Qui a passé une nuit en pleine campagne sait que les étoiles sont plus que des étoiles, le vent autre chose que du vent.»

Puisse ce livre devenir une invitation à entreprendre ou à poursuivre votre propre voyage, à vivre ce mystérieux périple de l'âme en quête de paix et de lumière.

Claude Leclerc, c.s.c.

1

L'OMBRE ET LA LUMIÈRE

«La fleur humaine est celle qui a le plus besoin de soleil.»

(Jules Michelet)

L'ombre a souvent prévalu sur la lumière dans ma vie et certaines scènes cruelles de mon enfance demeurent encore prisonnières de mon cœur blessé. Pourtant, à l'intérieur même de mes souffrances, une aube nouvelle se dessinait, triomphante, que seuls le temps et les circonstances pouvaient enfin me révéler...

Mes premiers pas en ce monde furent incertains. C'était l'année 1955. Au cinéma, le film *20 000 lieux sous les mers* attirait les foules tandis qu'Anne Morrow émerveillait le monde entier avec son livre *Cadeau de la mer*. Ce matin-là, le trente et un juillet, une chaleur écrasante régnait dans la salle d'accouchement de l'hôpital Sainte-Jeanne-d'Arc de Montréal. Ma sœur jumelle, Linda, naissait à l'aube tandis que j'émettais mes premiers balbutiements, une heure plus tard, dans l'océan d'indifférence de ma mère. Inapte à déverser tendresse et chaleur sur mon corps palpitant, tendu vers la vie, elle abattait le mât du reniement sur ma sœur et sur moi avant même que je ne puisse en comprendre le pourquoi. Cramponnée au bastingage de mon nouveau bateau, je tentais avec frénésie de survivre à cette entrée fracassante et tumultueuse en haute mer.

Quelques mois après notre arrivée à la maison, les flots de la peur se déchaînèrent. Dans l'insouciance la plus parfaite, ma mère m'abandonna sur le balcon de la résidence avec ma jumelle et ma frangine, Hélène, âgée d'à peine un an et demi. Alertés par les voisins, les policiers nous conduisirent aussitôt à l'hôpital où les infirmiers nous prodiguèrent les premiers soins. De là, on nous emmena à la crèche Youville pour un séjour qui allait durer près de cinq ans.

Laissée-pour-compte, sans phare pour me guider et sans bouée pour m'accrocher, j'entreprenais ma vie dans l'incertitude la plus totale. Chaque dimanche matin, j'assistais au départ de certains pensionnaires qui, main dans la main avec un étranger, quittaient l'orphelinat pour ne plus jamais y revenir. Mon cœur gémissait à l'idée que personne ne puisse s'intéresser à moi, du moins, juste assez pour considérer la possibilité de m'adopter. Mais les bras de l'oubli se refermaient sur ma vie, me retenant dans une solitude amère et pénible.

Vers l'âge de cinq ans, une travailleuse sociale nous plaça toutes les trois dans une famille d'accueil de Montréal. À cet endroit, je conclus, plus ou moins consciemment, que j'étais une personne indésirable. Les coups de bâton et les portes claquées brutalement sur mes doigts, en guise de représailles, peuplent encore mes souvenirs. Seul le père de famille me témoignait de l'affection. Âgé d'environ soixante-dix ans, il s'assoyait souvent dans son fauteuil vert, la Bible dans une main et sa pipe fumante dans l'autre. Parfois, il levait les yeux vers le ciel d'un air songeur, puis il retournait à sa prenante lecture. Homme de paix et de silence, il s'effaçait toujours lorsque surgissaient les conflits. Il me savait malheureuse, mais paraissait impuissant à faire fleurir un sourire permanent sur mes lèvres.

Un soir, alors que nous vaquions à nos activités sur le parterre de la maison, il me dit dans une de ses rares interventions: «Plus tard, Marie-Lou, tu expérimenteras de grands moments de liberté et de joie. J'en suis convaincu! Il te faudra beaucoup de courage pour franchir les nombreux obstacles s'opposant à ce bonheur. Néanmoins, sache que tu seras en mesure de répondre à l'appel lointain de Dieu.»

Comme s'il avait été synchronisé avec la nature, il pointa un doigt vers le ciel au moment où une lumière zébrait rapidement l'espace pour disparaître vers le Nord. La météorite, ce clin d'œil dans un firmament sans nuages, allait devenir un symbole de clarté vers laquelle me diriger.

Je gravai dans mon cœur cet épisode singulier de mon enfance. Malgré son air peu démonstratif, j'éprouvais la certitude que cet homme m'aimait. Je capitalisais sur ce mince filet d'espoir pour poursuivre ma route vers un lendemain aux teintes inconnues. J'endurais les sarcasmes à la maison et les rejets des écoliers dans la cour de récréation. À lui seul, le mot «orpheline» émoussait les esprits malins et je me retrouvais au premier rang de la risée générale. Le cœur transpercé par l'intransigeance implacable de certaines personnes, je rêvais, dans ma bulle d'espoir, du jour où la «différence» se transformerait en un vieux paillasson à reléguer aux poubelles. Personne ne pourrait s'y essuyer les pieds en écrasant la sensibilité et l'honneur de celui ou celle qui gêne par sa spécificité.

Trois ans après notre arrivée dans la famille d'accueil, ma sœur Hélène fut renvoyée parce qu'elle ne correspondait pas à l'image de la jeune fille modèle. Quelques mois plus tard, son départ fut suivi par celui de Linda, en raison de nombreuses mésententes avec certains membres de la famille. Cette séparation fut déchirante et je me retrouvai au cœur d'une brume épaisse et durable: la solitude de l'âme!

Au début de mon adolescence, je rencontrai Jean, celui qui, sans le savoir, allait poser les jalons de ma future carrière journalistique. Dans le sous-sol de sa résidence, où il avait un petit studio, il m'enseigna avec patience et ténacité les rudiments techniques de la radio. Cette rencontre fortuite mit un baume sur mon cœur. Drôle à s'en éclater les côtes, il disposait toujours d'une bonne blague pour détourner mon esprit de ses nombreux tourments. Nos rencontres s'épanouissaient sous le signe de l'humour et une amitié extraordinaire prenait racine entre nos mises en ondes, nos bulletins de météo et... nos fous rires. Un bon matin, Jean partit pour Timmins concrétiser son rêve: travailler dans une station de radio. Une longue correspondance s'ensuivit et se poursuit encore aujourd'hui, malgré son retour au bercail.

Vers l'âge de quinze ans, le désir de grandir sans contraintes et sans brimades m'incita à fuir mon foyer nourricier. Je me réfugiai chez la famille d'accueil de ma sœur Linda: les Hamel. Quel sentiment de liberté! Et que de mets chinois mangés au crépuscule, alors que le père, Raymond, un homme bon et magnanime, revenait avec des sacs remplis de victuailles provenant du restaurant où il travaillait. Cet être sensible, d'une grande tolérance, demeurait toujours impartial, même avec ceux et celles qu'il aimait. Dans cette maison, le bonheur s'écrivait au quotidien et, dès lors, tout semblait devenir possible pour mon âme en quête de bonheur.

Les enfants, au nombre de cinq, différaient les uns des autres; une véritable palette de couleurs disparates! La cadette Sylvie, la belle, la coquette, l'avenante, la ricaneuse, possédait un esprit de famille chaleureux et enthousiaste. Hélène, l'avant-dernière, représentait la droiture, la gentillesse et, à ses heures, s'avérait un véritable boute-en-train. Elle était aussi prévisible que le jour après la nuit. Venait ensuite Pierre, l'éternel adolescent, le véritable garnement de la maison! Le foufou de mon cœur! Et quel être affectueux! Il aimait bécoter, câliner et enlacer les gens de son entourage.

Yves, lui, se démarquait par son calme, sa logique, son air réfléchi et son sens de l'organisation. Il possédait une très bonne oreille et...

quelle patience! Il pouvait laisser son interlocuteur parler des heures, n'intervenant seulement qu'à quelques reprises. Denise, l'aînée, l'impétueuse, la bohème, la non-conformiste, se distinguait par sa générosité et sa philosophie positive de la vie. Tout comme Yves, elle possédait une force intérieure stupéfiante en plus d'être une vraie mère Teresa! Quant à madame Hamel, Françoise, elle représentait une personne flexible aux talents variés. Rêveuse, affable, souriante, elle possédait un sens de l'humour unique en plus d'être une authentique mère poule pour ses petits poussins! Bref, j'avais le sentiment d'être catapultée dans un monde pittoresque et guilleret, par contraste total avec celui que je venais de quitter qui était plutôt austère et dramatique.

Dans cette maison joyeuse, la routine quotidienne prenait des allures d'aventures. Certes, elle se déroulait non sans accrocs et disputes, mais ces tiraillements ne duraient que l'espace d'un instant. En moins de rien, la bonne humeur et l'enthousiasme reprenaient possession de tous et chacun, sans entacher aucunement l'amitié instaurée.

Après un mois de douces folies à découvrir la liberté tant souhaitée, la police vint me cueillir chez les Hamel et me conduisit dans un centre d'accueil pour jeunes filles en difficulté.

Nous étions toutes logées à la même enseigne, celle de la souffrance. Nous quittions les rives de l'adolescence pour devenir des femmes et nos mauvais coups reflétaient bien notre révolte intérieure. L'engrenage dans lequel nous vivions nous incitait à la provocation. Nous faisions tout pour nous démarquer et pour susciter les réactions les plus vives autour de nous. On nous percevait comme des délinquantes juvéniles. Alors, pas question de les décevoir!

Nos congés de fin de semaine ressemblaient davantage à une sortie de prison. Nous nous précipitions dehors en courant, le vent dans les voiles. Grisées par notre liberté, nous plongions dans le seul univers accessible à nos âmes errantes, celui de la drogue et de l'alcool. Il s'agissait de moments de rires et de dévergondages complets, faible revanche sur nos déboires du passé.

Durant les week-ends je séjournais souvent chez les Hamel, question de renouer avec la bonhomie de ces gens. Pourtant, malgré leurs bons soins et leurs délicates prévenances, je sombrais de plus en plus dans l'univers insidieux des stupéfiants. Denise, cet ange protecteur qui me surveillait dans l'ombre, m'épaulait parfois de longues heures afin d'éviter que j'absorbe des substances illicites. Quant à son frère Yves, devenu l'amoureux de ma sœur Linda, il dut à quelques reprises me sortir de la cave où je me réfugiais, scotch en main et détresse au cœur. Il me tirait de mes bas-fonds, de mon exil de cette époque-là, en me tenant des propos réconfortants et encourageants. Bref, il me gardait éveillée afin que je cuve en toute sécurité l'eau-de-vie circulant à profusion dans mes veines.

Par la suite, les fréquentations des garçons et les sorties en bande me rendirent hardie, pour ne pas dire effrontée. Plus question de me laisser marcher sur les pieds! Une dose excessive d'opium et de barbituriques, mélangée à de la bière, menaça ma vie et mit fin, temporairement, à mes sorties déraisonnables et à mes consommations nocives. Une sévère dépression s'ensuivit. Tout me faisait peur. Au moindre coup de vent, je tremblais comme une feuille et pendant des nuits entières, la panique et l'anxiété dominaient sur ma raison.

On m'envoya à *Zygoma*, une maison de transition à Montréal, où j'y poursuivis mon voyage sur des mers houleuses et déchaînées. Mes nouveaux compagnons de route, les valiums, ces calmants prescrits par le médecin du centre d'accueil, ne parvenaient pas à supprimer la sourde angoisse tapie au creux de mon être. La tempête faisait rage. Mon bateau, perdu dans la brume, sombrait dans les flots tumultueux d'un désarroi sans nom.

À dix-huit ans, je quittai mes compagnes d'infortune pour emménager avec deux autres filles dans un appartement du centre-ville de Montréal. Je devais assurer ma propre subsistance. Exposée à une réalité différente, sans surveillance et sans règlements, j'étais livrée fragile et chancelante à mon destin.

Quelques mois plus tard, ayant passé le test de «l'autonomie», je m'installai, seule, dans un logement du quartier Ahuntsic. Étudiante à temps plein en sciences de l'éducation au collège, je travaillais les soirs et les fins de semaine afin de subvenir à mes besoins. Un événement malencontreux me fit perdre cette source de revenu. L'inquiétude me gagna. Du jour au lendemain, je me retrouvai sans argent ni nourriture et la peur me faisait anticiper le moment où le propriétaire, malgré sa grande tolérance, me chasserait de mon logis.

Incapable de poursuivre ma formation scolaire, je m'activai à trouver un emploi le plus rapidement possible. Ma survie en dépendait. Dans cette folle course contre la montre, je remarquai ma pauvreté qui tranchait grandement avec l'opulence d'autrui. Cet écart considérable me renvoyait l'image de mon échec personnel.

Les nuages commencèrent à planer au-dessus de moi comme un sombre présage et je mêlai mes larmes aux gouttes de pluie coulant sur ma vie. J'ignorais que le soleil se levait dans les profondeurs du cœur, laissant pour rosée une imperceptible soif de guérison. Je m'en remettais davantage à l'espoir, ce mot mystérieux caressant le futur sans vraiment lui donner forme.

Ma situation pitoyable me déstabilisa. La peur au ventre et en proie à une intense souffrance, je me laissai gagner par une sorte de torpeur. Je glissai lentement, presque sournoisement, dans l'exercice du plus vieux métier du monde... Je ne voyais plus clair dans les mouvements de mon cœur. La femme en moi, profondément meurtrie, renonçait à cette vie de plénitude à laquelle elle aspirait tant.

Adieu la jeune adolescente rebelle! Devenue une véritable fille de rue, je tenais le langage vulgaire et insolent des dévoyées. Quelque chose s'était cassé en moi et désormais le mal coulait sans pouvoir s'arrêter. Ma colère, comme du fiel, se répandait sur tous ceux et celles qui m'approchaient. Je sacrais et blasphémais comme un charretier. J'allais jusqu'à provoquer sans arrêt les gens que je côtoyais. Comme un arbre blessé, j'étais atteinte dans les racines mêmes de mon être.

Avec le temps, une tristesse sans fin succéda à ma colère. Mes yeux devinrent deux océans profonds. Je pleurais continuellement. Je ne pouvais supporter que mon corps soit considéré comme un objet même si j'étais celle qui l'offrait à tout venant. J'avais perdu mon langage violent et abusif. Je dérivais. Accrochée aux hommes pour ne pas mourir, je sombrais ostensiblement dans la détresse.

Maints événements déconcertants, dont une rencontre au hasard de la vie, changèrent définitivement le cours de mon existence. Il s'appelait Richard et travaillait dans une station de radio lavalloise. Alléguant avec emphase que je possédais une voix radiophonique, il m'invita à passer une audition à l'*Académie des annonceurs de radio de Montréal*. Aussitôt dit, aussitôt fait! Coup de foudre pour le métier!

À cette école, je rencontrai François, l'espiègle de mon cœur. Guitare en mains, nous traversions la vie en riant à gorge déployée. Ses pitreries et ses singeries me déridaient et me détournaient de mes grisailles quotidiennes. Il devint rapidement mon frère d'âme. Pendant plus de quatre ans, nous ne pouvions guère nous quitter le soir sans éprouver un serrement intérieur. Cette amitié solide, malgré les éloignements subséquents, demeure, encore aujourd'hui, intacte et... pleine de rebondissements!

Au terme de mes études, je me retrouvai animatrice dans une station de radio à Saint-Jérôme, puis, nouvelliste à Valleyfield. Avec les années, je rebâtissais mon estime personnelle même si mon malaise existentiel me suivait dans l'ombre.

Un matin, ce fut la débâcle totale. Plus de voix! Incapable d'émettre un seul son en ondes! Croyant qu'il s'agissait là d'un événement isolé, je paniquai quand, au bulletin de nouvelles suivant, nul filet de voix ne traversa le mur de mes lèvres. Dans la détresse et la confusion la plus totale, je mis fin à cinq années de travail pour revenir m'installer en catastrophe à Montréal. Je quittais une équipe formidable et mon âme pleurait cette famille m'ayant transmis l'amour de ce métier, m'ayant appris tranquillement à sourire, à foncer dans la vie, et surtout qui m'avait aidée à développer un outil qui ne me quitterait jamais plus: l'écriture!

Dans la métropole, ma grande amie Marielle m'hébergea le temps de reprendre mon souffle. Mon cœur, devenu un véritable marécage pollué par le déversement constant de mes pensées corrosives, demeurait insensible à toute sollicitation extérieure m'invitant à un retour au travail. Coincée dans un corps inconfortable, fragilisée par une vision défaitiste de la vie, je me mis en quête de trouver la source du bonheur, peu importe le prix à payer! Elle devait sûrement exister en un lieu précis puisque de nombreuses personnes y trempaient leurs pieds quotidiennement tout en affichant cet air transfiguré, presque énigmatique, de paix et de sérénité. À moi, désormais, d'en découvrir le code d'entrée ...

2

LA QUÊTE DE BONHEUR

«Partout où il voudra aller, nul ne trouvera plus de beauté ou de richesse qu'il n'en porte en lui-même.»

(Ralph Waldo Emerson)

Chez Marielle, je reprenais doucement goût à la vie. Son rythme lent et posé contrastait avec le mien, bouillant et fougueux: un véritable feu roulant de paroles et de gestes. Mon agitation perpétuelle camouflait mon mal existentiel, voire mes angoisses les plus profondes. Je n'avais certes pas inventé le mot «immobilité» et je savais pertinemment que cette forme «d'ivresse» me permettait de survivre, le temps sans doute de parvenir à la guérison de mes blessures. La présence de ma copine m'aidait à ralentir quelque peu mon tempo et à apaiser ma grande fébrilité et sensibilité, mais jamais suffisamment pour la rejoindre dans son îlot de tranquillité.

Pour retrouver l'équilibre dans ma vie, je me mis à chercher avec ardeur la fameuse route du bonheur. Je demeurais convaincue que la vérité se trouvait en Orient, plus précisément au Népal. Des images vivantes de reportages télévisés, inscrites de façon indélébile dans ma mémoire, me revenaient sans cesse à l'esprit. Je rêvais d'abandonner le confort moderne pour aller escalader une des mystérieuses montagnes du nord de l'Inde.

En effet, cette montée vers les plus hauts sommets, disait-on, permettait à des personnes courageuses et intrépides de surmonter leurs propres peurs et de franchir les étapes menant à la libération. Peu à peu, une force puissante s'éveillait chez ces aventuriers de l'âme et, au terme de leur longue et pénible ascension, plusieurs accédaient à l'illumination. Cette lumière soudaine dans la conscience me fascinait au plus haut point. Je voulais à tout prix connaître cette expérience ultime de l'être.

Ce désir d'un pays lointain masquait mon refus d'admettre que la vérité se trouvait en moi. Je préférais la croire inaccessible, réservée aux personnes téméraires ou à quelques élus ayant reçu l'appel. Je figeais littéralement sur place. Je souhaitais vivre l'illumination et, en même temps, je la limitais à une expérience au Népal. C'était perdu d'avance!

Cette incapacité à réaliser mon idéal se traduisit par un rêve récurrent: «Je gravissais une montagne du Népal et un sherpa (porteur) me guidait dans l'escalade de ce grand massif. Un vent puissant sifflait sans relâche, rendant notre montée laborieuse. Au moment où nous approchions du but, une forme hideuse surgissait de nulle part. Le sherpa s'enfuyait alors à toutes jambes, me laissant seule avec le monstre. Rapidement, je cherchais un refuge dans un escarpement rocheux et, me croyant à l'abri de tout danger, je sursautais violemment en voyant la forme revenir encore plus menaçante. Un seul regard vers cet être immonde et je glaçais de terreur. Reprenant mes esprits, je filais à toute vitesse dans une autre direction. Perdue, isolée dans ces hauteurs enneigées, je me réveillais le cœur battant la chamade.»

Au moment où j'emménageai, seule, dans un petit appartement, mes rêves du Népal prirent fin. Je découvris alors l'hindouisme. Cette religion comptant des centaines de millions d'adeptes et possédant une histoire vieille de quelque trois mille ans aiguisait ma curiosité. Diffusée largement sur les côtes de la Californie, elle proposait à mon esprit romanesque un exotisme aux odeurs d'encens. Élevée dans une société occidentale matérialiste, je chérissais l'idée que l'âme puisse retrouver sa pureté originelle, mais encore fallait-il y parvenir.

Malheureusement, lorsque cette philosophie propre à l'Inde était adaptée pour l'Occident, elle se présentait comme un véritable cours de psychologie populaire. Ma curiosité s'amenuisa peu à peu. Malgré les beautés de ces préceptes, je n'atteignais pas les objectifs fixés. Par contre, je développai une attirance pour les chants sanskrits, langue sacrée des brahmanes. Je les chantais, matin et soir, au risque d'indisposer les voisins. Avec une amie, éprise également de ces mélodies, je les enseignais aux personnes désireuses d'atteindre un autre niveau de conscience.

Un soir par semaine, à la lumière d'une chandelle, nos voix s'élevaient et nos âmes vibraient aux sons millénaires des Védas (prières et hymnes sacrés). Rien n'égalait l'apaisement apporté par ces chants. Je planais dans une sorte de nirvana, un paradis aux vibrations mélodieuses qui me procurait une joie ineffable.

Le raja yoga, une doctrine orientale bien appréciée en Amérique, se révéla un enchaînement logique à l'hindouisme. Grâce à la mise en pratique des préceptes inculqués, ma vie intérieure, telle une pâte à modeler, commença à prendre forme et à se solidifier.

Quelques mois plus tard, je cessai mes investigations spirituelles, le temps de m'offrir des vacances à Vancouver, en Colombie-Britannique. D'emblée, je fus conquise par cette contrée magnifique, favorisée d'une nature sauvage, luxuriante et d'un océan n'en finissant plus de s'étaler vers l'horizon. À mon rctour de voyage et au terme d'une longue réflexion, je décidai de déménager sur la côte ouest. Malgré la désapprobation de mon entourage, je larguai derrière moi mes souvenirs d'une époque révolue et je m'envolai joyeusement sur les ailes de ma destinée.

Dès mon arrivée dans l'Ouest canadien, je vécus sur un bateau de pêche ancré à la marina de False Creek. Puis, je m'installai dans un appartement-terrasse avec Donald, mon nouvel amoureux, un marin de Sunshine Coast. Du haut de ma tour, je m'offrais lcs plus beaux couchers de soleil sur le détroit de Géorgie. D'ailleurs, pas un jour ne se terminait sans que je foule ses berges sablonneuses. Je m'assoyais sur son chaud rivage et me laissais bercer par le roulis incessant des vagues. À la brunante, je déambulais sur la promenade du Stanley Park, m'enivrant de l'air salin et des odeurs d'algues marines portées par le vent. Souvent, je m'arrêtais éblouie par ce paysage grandiose. Je me fondais en lui comme si nous ne faisions qu'un.

À peine installée dans ce cadre pittoresque et enchanteur, je me dénichai du travail en journalisme. Je jubilais ! Ma vie ressemblait à un véritable conte de fées. Durant mes temps libres, j'étudiais «l'approche aux mourants» et je faisais régulièrement escale à San Francisco, aux États-Unis, dans un centre pour enfants en phase terminale de cancer. J'accumulais mes congés et mes jours de vacances pour demeurer le plus longtemps possible dans ce territoire américain où une amitié formidable se tissait avec Bryan, celui que je surnommai, avec le temps, mon «vieux sage». Pendant plusieurs mois, il allait jouer un rôle déterminant dans ma vie.*

Sur le plan spirituel, ma flamme ardente diminua au profit de l'enseignement de «Nichiren Soshu», grand prêtre japonais et lointain successeur de Nichiren Daishonin, fondateur, il y a plus de sept cents ans, d'une des nombreuses branches bouddhistes. Donald, un adepte invétéré de cette religion, m'initia à ces rituels. J'y

---

* Marie-Lou et Claude, *Sur les ailes de l'Amour*, éditions Médiaspaul, 1999, 236 pages.

adhérai pendant une période très courte. Sans trop savoir pourquoi, je résistais à cette expérience religieuse.

Cependant, l'apprentissage d'une très longue prière en langue étrangère, «*Nam Myoho Renge Kyo...*», émise devant un petit temple, le «Gohonzo» (objet de dévotion contenant un parchemin sur lequel sont inscrits les noms de différents dieux bouddhistes et êtres mystiques), me fascinait. D'une durée de vingt minutes, elle comblait amplement ma passion pour les chants religieux. Cette prière permettait à toute personne, sans distinction de race ou de dénomination religieuse, d'atteindre éventuellement, grâce à une très longue pratique, l'état de bouddha, c'est-à-dire la *connaissance de la vérité.*

La méditation zen attira ensuite mon attention et m'éloigna du bouddhisme de «Nichiren Soshu». Cette forme de méditation mettait l'accent sur l'apaisement des pensées afin de parvenir au silence mental. Ce regard méditatif sur mon agitation intérieure représentait un défi de taille. Mon cerveau en pleine ébullition faisait sans cesse émerger quelques souvenirs de mon passé ou m'entraînait vers des futurs hypothétiques. Mes voyages intérieurs se concluaient inévitablement par des échecs. Je ne possédais pas la patience des grands sages qui maîtrisent la pensée avec brio. Je nageais, comme une âme à la dérive, sur les eaux connues de mon bourdonnement mental. Je mis un terme à mon investissement dans cette technique de méditation, prétextant son aspect trop rigoureux.

Par la suite, je convolai en justes noces avec la nouvelle découverte de l'heure: *A Course in Miracles*. Comme une vague de fond déferlant sur les rivages, cette série de trois volumes se mit à envahir la côte ouest. Ce raz-de-marée provenait d'une praticienne du département de psychologie médicale de l'Université Columbia à New York. Pendant plus de sept ans, elle reçut par le biais de l'inspiration, des concepts religieux et spirituels formant l'ensemble de cet ouvrage. Au bout de quelques années, j'abandonnai ce cours...

Pareille à un papillon instable, je voltigeais sans cesse, incapable de me poser sur une fleur précise pour en goûter à fond le nectar. Dans cette quête de lumière, je prenais de plus en plus conscience de mon éparpillement et de mon inconstance. J'ignorais qu'à l'intérieur de mes expériences multiples se dessinait, à mon insu, le véritable chemin vers ma délivrance.

À bout de ressources, je me tournai finalement vers le Nouvel Âge. Dans cette nuée de séminaires de croissance, je cherchais le bonheur tant promis. «La marche sur le feu», un rituel initiatique millénaire, attira mon attention. Le but premier de cet atelier consistait, pour chacun des participants, à se départir de ses peurs profondes et tenaces, limitant son champ d'action. Un slogan appuyait cette entreprise: «Traverse le couloir de braises, long de quatre mètres, et tu pourras TOUT vaincre par la suite!»

Mes deux premières tentatives de marche sur le feu, une à Boston et l'autre en Floride, aux États-Unis, se soldèrent par un échec désastreux. Malgré les différentes pommades appliquées sur mes pieds affreusement brûlés, aucun soulagement véritable n'en calma la morsure. Mon dernier essai, à Vancouver, en Colombie-Britannique, s'avéra un franc succès.

Quelques mois plus tard, à la lecture d'un article de magazine parlant de la marche sur le feu, je découvris avec stupéfaction qu'il s'agissait d'une arnaque. Des braises rouges ayant atteint environ mille deux cents degrés Fahrenheit (approximativement six cent quinze degrés Celsius) n'étaient pas conductrices d'intense chaleur. Au contraire, elles se révélaient plutôt froides à ce stade de transformation. Par contre, lorsqu'elles se modifiaient et prenaient une teinte grise, elles produisaient une plus grande combustion les rendant ainsi beaucoup plus brûlantes.

Selon le *Los Angeles Times*, le *Science Digest*, le *Journal of Chemical Education*, le *Scientific American* et même le *Rolling Stone*, il est indéniable que quiconque le désire peut marcher sur un lit de braises sans subir une seule trace de brûlure! Et cela, pour une raison fort simple, les braises rouges ont une très faible masse thermique et leur conductivité (la vitesse à laquelle elles transmettent la chaleur) est relativement basse.

Un autre facteur expliquait le taux de succès de la marche sur le feu: *l'effet Leidenfrost*. Lorsqu'on jette de l'eau sur une surface brûlante, par exemple, sur un poêlon excessivement chaud, les gouttes d'eau se mettent à valser en raison d'une légère vapeur les isolant de la surface. Les gouttelettes ne se dissolvent pas immédiatement. Il en est ainsi pour les pieds du marcheur qui, transpirant, produisent un isolant entre la chaleur et sa peau. Cet effet «bouclier» disparaît lorsque le marcheur demeure trop longtemps sur place ou ne déambule pas assez vite sur les braises. Alors, il se brûle la plante des pieds! Sinon, il s'en sort indemne...

Mes deux premières expériences s'avérèrent un fiasco pour une raison fort simple: j'avais déambulé sur des charbons devenus gris, diffuseurs de plus forte chaleur. Ironiquement, après mon passage, on les remplaçait par des braises rouges. Les organisateurs procédaient à cette étape à toutes les fois que les braises prenaient une couleur grisâtre. Évidemment, pour mener à bien cette épreuve, une personne devait marcher sur des tisons rouges. Rien à voir avec l'élévation de la pensée! Ainsi, à ma troisième tentative, je me plaçai en tête de ligne et je traversai, sans difficulté, le couloir de charbons d'un beau rouge feu et... FROID!

Cette découverte me fit mal. J'avais «brûlé» une bonne partie de mes économies dans cette galère fumante et mon sentiment de fierté se transformait en dépit. Plus question de participer à des séminaires de croissance malgré les témoignages éloquents pouvant circuler à leurs sujets. Il s'agissait d'une affaire close!

Je revins m'établir à Montréal. En dépit de mes expériences nombreuses et diversifiées, je réalisai que mon mal existentiel ne m'avait pas quittée. Il envahissait jusqu'aux recoins de mon être, prenant délibérément en otage mon quotidien. Certes, je parvenais à mieux vivre durant certaines périodes de ma vie mais, au moment où ma vigilance relâchait sa garde, mon malaise profond revenait me narguer, démontrant son ascendant sur moi.

Mes jours s'assombrissaient et, telle une automate, je suivais le courant, question de voir où il m'entraînerait. Durant cette période d'orages intérieurs et d'instabilité émotionnelle, je rencontrai mon futur mari. De cette union naquit ma tendre fille, Diane, celle que mon cœur attendait de toute éternité. Les années se mirent à couler paisiblement à ses côtés malgré une relation de couple pénible et laborieuse en parallèle. Au bout de sept années de vie commune, mon mariage tourna au désastre. Deux âmes profondément blessées ne pouvaient grandir ensemble et s'épanouir si elles ne cheminaient pas dans la même direction. Elles se détruisaient et mouraient à petit feu.

À la suite de mon divorce, plus rien ne semblait retenir les peurs terrées en moi. Avec force, elles reprirent leurs lettres de noblesse, me mettant très souvent, échec et mat. Mes frustrations et mes blessures non guéries, émergeant de manière anarchique à la surface de mon esprit, m'amenèrent à considérer la mort comme la seule issue possible à mes désillusions. Je me sentais impuissante à changer le cours de ma vie. Aux prises avec une mauvaise étoile, je ne pouvais m'écarter de cette fatalité qu'en culbutant dans «l'autre monde».

Mes multiples déboires creusèrent une soif si intense qu'ils me conduisirent à la bonne enseigne. Ma copine, Marie, témoin impuissant de mon naufrage imminent, me proposa l'ultime bouée de sauvetage: faire appel aux anges. Cette idée saugrenue me dérangea royalement. Je lui demandai, un soupçon d'ironie dans la voix: «Peux-tu me fournir leur numéro de téléphone?»

Le soir même, ouvrant la télévision, je vis le titre d'une émission américaine s'afficher sur l'écran: «Touched by an Angel». Ce synchronisme incroyable fit vibrer en moi unc cordc inconnue: la chanterelle de l'espoir. «Et si les anges existaient vraiment?»

Avant de m'endormir, troublée par l'émission visionnée, je fis littéralement du chantage avec la vie. Je lui demandai de m'accorder un miracle. Rien de moins! Faute de quoi, j'allais mettre un terme à cette folle existence. Ce qui s'ensuivit changea radicalement le cours de ma destinée...

Cette nuit-là, dans le silence paisible de ma chambre, une voix me réveilla en disant: «Aie la foi! Aie la foi! Va te confesser!» Extrêmement allergique et rébarbative à toute référence catholique, je me rendormis, persuadée d'avoir vécu un cauchemar. La voix m'extirpa de nouveau de mon sommeil, formulant la même requête. Cette fois, les paroles murmurées très doucement me troublèrent. Je restai éveillée quelques instants, me demandant d'où provenait cette voix étrange. S'agissait-il d'une inspiration céleste? d'une suggestion de mon inconscient? d'une aliénation de mon esprit? d'une aide inopinée des anges? Je retombai, épuisée, dans les bras de Morphée.

Tirée de mon assoupissement une troisième fois, je demeurai aux aguets, cherchant à comprendre la raison de cette intrusion nocturne pour le moins inhabituelle. Aucune peur ne m'habitait. Seulement un sentiment étrange, indéfinissable... L'au-delà se manifestait-il pour me prêter main-forte?

Ce scénario étrange se poursuivit ainsi jusqu'à l'aube. À mon réveil, imbibée de ces paroles énigmatiques, je décidai d'obéir aveuglément à cette voix dont j'ignorais l'origine.

Mon intolérance chronique aux églises n'entrava pas mon désir de me confesser, même si je doutais de ce Dieu encensé et idéalisé par ses fidèles. Cet après-midi-là, lorsque je mis ma main sur la poignée de porte d'un confessionnal, dans un grand lieu de prières, j'eus le sentiment étrange que ma vie ne serait plus jamais la même. Un peu tremblante, j'entrai et m'agenouillai dans la petite pièce adjacente à celle du prêtre, me demandant quel propos j'allais bien lui tenir. Après un court instant de silence, je lui avouai mon ignorance de cette démarche, ne m'étant pas confessée depuis au moins vingt-cinq ans.

Il ne me fit pas le sermon auquel je m'attendais. Au contraire, il me rassura, me parla avec douceur et compassion. Il m'encouragea à lui confier les secrets douloureux enfouis dans les replis de mon âme. Cette invitation inattendue fit sauter les barricades érigées autour de mon cœur. Sans aucune retenue et à travers mes sanglots, je déversai le poids de mes souffrances et de mes peines. Dans un dernier élan, je résumai ma vie en une seule phrase: «Tous les "péchés" du monde, je les ai commis.»

Ce prêtre, qui devint avec le temps mon conseiller spirituel, ne me jugea point. Il me pardonna mes égarements avec une telle sincérité que je fus remuée jusqu'au fond de l'âme. Néanmoins, une partie de moi refusait de croire que mes années de noirceur, d'égoïsme, de mensonges et de faiblesses puissent être effacées en un tournemain. Je voulais bien me persuader de la magie de l'instant, mais la voix insinuante du doute se faufilait dans mon esprit, remettant en question le bien-fondé de cette démarche. D'ailleurs, comment un Dieu quelconque, perdu dans l'invisible, pouvait-il me pardonner alors que je m'en estimais incapable?

Pourtant, à la suite de cette confession, j'eus la nette impression qu'un filet de lumière avait pénétré mon âme. Le père Claude m'avait accueillie avec une telle ouverture d'esprit et de cœur, sans me juger ni me rejeter. Je ne représentais donc pas un paria de la société. Un Dieu plein de tendresse et d'amour avait peut-être posé un regard de bienveillance sur ma vie. Un rayon d'espoir s'immisça alors dans mon être rongé par l'incertitude et la peur.

À la suite de ma rencontre déterminante avec le père Claude au confessionnal, j'entrepris le long processus de guérison de mes blessures intérieures. Mon cœur, mis en pièces et broyé par mes multiples infortunes, implorait la libération. Grâce à un travail d'introspection, ce prêtre me fit découvrir l'incontournable réalité: je ne m'aimais pas. En acceptant sans discernement ces fausses allégations à mon sujet: «Je ne suis bonne à rien», «Je ne vaux pas grand-chose», je m'étais forgée une fausse image de ma personne, omettant de vérifier la véracité de ces paroles. Étais-je vraiment l'indésirable personne que je croyais être?

Un jour, je demandai au père Claude pourquoi mon existence demeurait une perpétuelle confrontation entre l'ombre et la lumière. Sagement, il répondit:

«La dualité est source de conflit, bien qu'elle ne soit pas le conflit. Ton tiraillement réside tout simplement dans l'absence de choix. C'est en plongeant au cœur même de tes souvenirs douloureux pour y désamorcer les bombes que tu parviendras à te départir de ton fardeau explosif. Tu saisiras alors que le bonheur ne réside pas dans mille et une vérités puisqu'en fait, la vérité est unique; il n'en existe pas deux!»

Cette idée m'apparaissait tout à fait nouvelle car dans la plupart des séminaires de croissance, on m'avait enseigné que la vérité prenait le visage de nos croyances. J'en avais conclu qu'elle demeurait personnelle et individuelle et qu'elle évoluait selon les saisons du cœur. Cette théorie d'une vérité non-dualiste me séduisait grandement. Cependant, qu'elle provienne de la religion catholique me rendait méfiante et réticente. Je n'affectionnais nullement les dogmes, les rituels et encore moins la rigidité et la sévérité de sa doctrine. M'élever au-delà des apparences pour puiser aux fondements du catholicisme me rebutait. Pour dire vrai, je n'en avais guère envie!

Cette vérité, je le compris par la suite, ne relevait pas uniquement de l'Église mais d'une réalité fondamentale stipulant que derrière toute religion, toute philosophie, toute incroyance même, réside un Être suprême, indivisible dans sa forme, qui s'adresse au cœur de chacun dans un rapport intime et particulier. Il n'en tenait qu'à moi d'adhérer ou non à cette vérité immuable.

Durant ma jeunesse, j'avais éprouvé une période de révolte contre la religion catholique. J'entendais bien mener ma barque à ma guise sans me faire imposer mes allées et venues. De toute façon, selon l'opinion publique, l'Église s'en allait à la dérive. Plusieurs de ses prêtres, religieux et religieuses, avaient renoncé à leurs engagements premiers et influençaient négativement les gens. Les journaux ne manquaient pas de souligner les histoires tragiques d'abus sexuels sur des personnes dont certains d'entre eux avaient eu la responsabilité.

Pour ma part, je n'avais pas été victime de sévices ou d'injustice à l'orphelinat. Je n'éprouvais donc aucune amertume ou colère envers la communauté qui m'avait accueillie et éduquée. Les quelques souvenirs de la crèche me rappelaient des religieuses prenant soin de moi avec respect et tendresse. Par contre, je savais que dans certaines communautés, des êtres fragiles et vulnérables avaient été brisés, anéantis à la racine même de leur vie par des gestes inqualifiables. Cette insensibilité et cet outrage à la dignité de l'être humain me déchiraient intérieurement et continuaient d'assombrir mon regard sur l'Église.

Ma première révolte contre cette institution débuta vers l'âge de douze ans. Je demeurais dans une famille d'accueil, chez les Dupont. On m'avait offert, pour cadeau de Noël, un petit livre tout en images intitulé: *Notre-Dame de Fatima*. Je l'avais adopté comme s'il s'agissait d'une relique rare et précieuse. Je dévorais ce volume plusieurs fois par semaine et je le plaçais sous mon oreiller, espérant que son message de foi et d'amour pénétrerait mon esprit durant la nuit. J'aimais beaucoup les trois enfants: Lucie, Jacinthe et François, témoins de l'apparition de la Sainte Vierge à Fatima, au Portugal. De plus, j'avais développé une dévotion tout enfantine envers cette grande Dame des cieux. Chaque jour, selon une formule abrégée, je récitais le chapelet remis à ma confirmation. Je le débitais en cinq minutes!

Un jour, dans un excès de rage, madame Dupont m'arracha le livre tant aimé pour ne plus jamais me le remettre. Elle voulait me punir d'un délit que je n'avais pourtant pas commis. À partir de cet instant, mon cœur se ferma comme une fleur à la tombée de la nuit. Ma dévotion envers la Sainte Vierge se transforma en une sombre colère. Je lui reprochais surtout son indifférence devant la cuisante correction administrée cet après-midi-là.

La fréquentation de l'église, le dimanche, représentait pour moi un véritable calvaire. La famille s'assoyait toujours devant la statue de la Vierge Marie, celle que je voulais tant ignorer et oublier. Lorsque, par mégarde, mon regard s'échappait vers la blanche statue d'albâtre, je sentais une tristesse sans borne m'envahir. Puis, ma colère revenait silencieusement éclabousser de mots aigres cette dame que tous considéraient comme la Mère universelle.

Au fil des années, une haine tenace s'enracina dans mon cœur, voilant du même coup mon regard sur l'Église. Ma blessure profonde et mon incompréhension de l'événement m'incitaient à maintenir cette opposition farouche.

Avec les années, d'autres incidents pénibles contribuèrent au façonnement de l'image négative que j'allais entretenir à l'égard de la religion catholique. Je demeurais impuissante à détruire le mur de méfiance que j'avais érigé autour d'elle. Il me fallut plusieurs mois de discussions et maintes clarifications de la part du père Claude avant de guérir certaines blessures et considérer le christianisme sous un angle nouveau.

Puis, graduellement, tout en gardant plusieurs réserves face à l'Église, j'entrevis la véritable assise, le fondement premier sur lequel reposait toute cette structure. Ce point de départ s'articulait autour du message sublime véhiculé par son grand maître Jésus: «Aimez-vous les uns les autres...» À mon avis, cette phrase, d'apparence si simple et si anodine, portait en elle-même l'espoir de l'humanité: le choix ultime du peuple de la terre de faire régner la paix. Tout le reste, pour moi, devenait secondaire. Cette réalisation fut un point tournant dans ma vie.

Dès lors, plutôt que de lancer la première pierre à mon présumé ennemi, je commençai à me préoccuper de mes propres erreurs puis à déraciner mes sentiments négatifs obscurcissant mon regard. Je compris que personne n'était irréprochable et exempt de toute déviance. PERSONNE! Par contre, en choisissant de faire mon ménage intérieur, ma laideur interne pouvait s'évaporer petit à petit pour finalement s'éclipser dans l'ombre.

De toute évidence, j'avais conduit ma vie de manière téméraire et instinctive, mue par mes sentiments d'impuissance et mes nombreuses peurs. Je croyais qu'en accomplissant divers exploits extérieurs, j'en viendrais à changer ma dynamique intérieure. Certains y parvenaient. Pourquoi pas moi? Mais l'effet d'euphorie, subséquent à ces performances, persistait combien de temps en bout de ligne?

Tant et aussi longtemps que la cause première de mes blocages psychologiques n'était pas reconnue et purifiée, je pouvais accomplir toutes les expériences de marche sur le feu du monde ou autres prouesses du genre, je ne pourrais jamais me libérer de mon mal existentiel. L'important consistait à retrouver cet espace intime où l'amour pouvait s'épanouir en toute liberté.

C'est ma conscience de plus en plus vive qui m'entraîna vers d'autres niveaux de compréhension et de connaissance. Une autre porte mystérieuse s'ouvrit doucement, sans bruit, pour me permettre de toucher les rives d'un continent énigmatique...

3

AU-DELÀ DE LA PEUR

«L'homme se découvre quand il se mesure à l'obstacle.»

(Antoine de Saint-Exupéry)

Au contact du père Claude, ma vie se transforma rapidement. Je ne cherchais plus de recette magique ni de solution miracle. Un phénomène étrange et inexplicable influença alors ma compréhension des voies de l'amour.

Des rêves spirituels commencèrent à peupler mes nuits. Ils me permirent de sonder d'autres dimensions que celles du monde physique dans lequel j'évoluais. Dès mon réveil, j'en rapportais fidèlement leur contenu sur papier. J'éprouvais un incroyable sentiment de paix et une profonde gratitude envers ces messages fourmillant de sagesse. Ces rêves me procuraient une perspective nouvelle et extraordinaire sur ma vie et l'être humain en général. J'acceptai donc ces manifestations nocturnes particulières sans chercher à faire le procès de leur origine.

Certes, depuis l'âge de vingt ans, je consignais régulièrement mes rêves et mes cauchemars dans des cahiers. Néanmoins, jamais je n'avais accueilli autant de rêves spirituels, et cela, en une période si concentrée. En dehors de mes confidences au père Claude, je n'osais trop m'ouvrir sur le sujet, présageant le tollé de protestations que les opposants du rêve me serviraient. Et ce fut malheureusement le cas. J'étais atterrée! Comment ces gens pouvaient-ils refuser ou nier l'existence des rêves, lieux de prédilection par lesquels Dieu s'exprime régulièrement?

Les Grecs de l'Antiquité érigeaient des temples, dont le plus célèbre était celui d'Épidaure, à la gloire d'Asclépios, dieu de la médecine, (dieu que les romains adoptèrent et nommèrent Esculape). Après la récitation de quelques prières et le sacrifice d'animaux, les malades ingurgitaient une boisson leur permettant de s'endormir paisiblement. Durant leur sommeil, Asclépios, par le biais des rêves, leur révélait le diagnostic et même les remèdes pouvant éventuellement leur procurer la guérison.

Le père de la médecine, Hippocrate, Évagre le Pontique, saint Pacôme, saint Benoît, saint Augustin, Grégoire de Nazianze, Synésios de Cyrène, Jacob, Joseph (interprète des songes du pharaon), saint Pierre, saint Paul, saint François, et j'en passe, croyaient tous en la valeur du rêve, comme pont essentiel entre l'âme et Dieu.

Dans ma vie, le rêve a toujours joué un rôle prépondérant. Mes prolifiques images intérieures m'ont permis à maintes reprises de saisir des informations essentielles et inestimables m'échappant à l'état de veille. En réalité, nous faisons tous, sans exception, de quatre à cinq rêves par nuit. Le dernier, révélé aux petites heures du matin, peut parfois s'étirer en un scénario variant d'une heure à une heure trente. Pour certains, un mécanisme de censure empêche le rêve de parvenir à la conscience au moment de l'éveil. Pour d'autres, il demeure accessible et devient un moyen privilégié pour aller vers Dieu. De toute manière, peu importe le moyen utilisé, Il se révèle la plupart du temps en dehors du champ de notre pensée rationnelle, bien cartésienne.

Un de mes rêves spirituels, que je nommai *Pensée nouvelle*, me fit entrevoir les obstacles à ma propre quête de vérité. Je planais dans un univers diaphane. Le temps semblait s'étirer à l'infini et je me dirigeais là où la pensée me portait. Je naviguais heureuse dans cet éther sans fin. J'évoquais l'amour et il me revenait, en écho, des milliers d'étincelles chatoyantes me remplissant d'une joie incommensurable. Un être d'une grande beauté vint me rejoindre et me dit à voix basse: «Pense à la guerre.»

Au même instant, mon corps devint plus lourd. La noirceur, tel un cumulo-nimbus menaçant, se mit à remplir l'espace. Dans cette atmosphère inquiétante, je me sentis oppressée, appréhendant un danger imminent. Des images de meurtres, de violences, de maladies, de haine et d'amours malsains apparurent soudain sur l'écran de mon esprit. La peur me figea sur place. Ces représentations pitoyables se mirent à prendre racine en moi, se répandant dans mon être comme une mauvaise herbe. Désormais, je ne faisais plus qu'une avec la misère, la rancœur et l'agitation.

Je m'enfonçai de plus belle dans l'obscurité. Des cris et des lamentations horribles parvenaient à mes oreilles. Mon cœur s'agitait avec frénésie. La certitude de ne pas m'en sortir vivante me hantait de plus en plus. Je hurlai à en fendre l'âme dans cette opacité qui, comme une sangsue, me collait à la peau. J'étais terrifiée.

J'entrevoyais à peine les silhouettes d'autres êtres humains, courant en tous sens comme des bêtes apeurées. Dans cette détresse inimaginable, je criai tout à coup: «Seigneur, aidez-moi!»

Aussitôt, j'entendis à travers mon brouillard intérieur: «Élève tes pensées. Pense à l'Amour.»

Ce que je fis, m'accrochant à cette parole comme une naufragée après une bouée de sauvetage. Progressivement, je devins légère comme le vent. Les visions d'horreur s'estompèrent. Poursuivant ma route dans des couloirs moins souffreteux, je me retrouvai près de l'être lumineux. Son éclat étincelant m'éblouit. Il me déclara:

«Tu as traversé le monde des pensées humaines. Dorénavant, souviens-toi que celles-ci ont une influence déterminante sur ta vie. Les pensées d'un même ordre s'attirent et se fusionnent, renforçant ainsi leur impact positif ou négatif. Derrière chacune d'elles se cache une puissante énergie et, avec le temps, cette énergie revient vers celui qui l'a émise. Pour éviter les conflits et les guerres, l'être humain doit s'efforcer de projeter des pensées pacifistes et remplies d'amour. Il s'agit d'un travail de longue haleine; cependant, dans la Lumière, tout peut être transformé.»

Ce rêve spirituel m'apprit à écourter mes errances dans les couloirs sombres des pensées négatives et à devenir davantage imperméable aux influences extérieures malsaines. Avec le temps et grâce aux nombreux rêves spirituels dont la vie me gratifiait, je saisis que mes craintes prenaient naissance dans le passé et que mes idées obscures les entretenaient. Le désir de contrer leurs effets dévastateurs et la volonté de m'engager sur des routes plus droites m'incitèrent à plonger au fond de mes noirceurs pour les confronter et les enluminer.

Avec beaucoup de délicatesse, le père Claude m'aida à faire le ménage de mes souvenirs. Ceux-ci, gorgés de peurs et d'angoisse, entravaient ma perception de la réalité. Peu à peu, je délogeai de ma mémoire des événements que je n'avais jamais osé regarder de près, craignant que leurs charges émotives ne m'écrasent de nouveau. Je savais qu'un épisode particulier de mon adolescence m'avait marquée de manière indélébile et continuait subtilement de m'affaiblir, masquant d'un voile d'amertume mon regard sur la vie. La perspective de m'en ouvrir au père Claude me rendait si vulnérable que je tardai plusieurs mois avant de m'en délivrer. Je préférais avancer à mon rythme sur les sentiers moins rocailleux de ma vie.

Un jour, n'en pouvant plus, j'ouvris d'un coup les écoutilles de ce souvenir, m'épanchant sur cet incident douloureux comme s'il me fallait l'exorciser pour ne plus en sentir les effets dévastateurs.

J'avais dix-sept ans. Je vivais depuis plus d'un an dans un centre d'accueil pour jeunes filles en difficulté, lorsque le personnel nous convoqua à une réunion impromptue dans le salon. L'éducatrice en chef prit la parole. Sans préambule, elle nous annonça que l'établissement se doterait d'une nouvelle orientation et que les éducatrices s'opposant à ce changement radical, quitteraient les locaux immédiatement après la réunion. Elle fit une longue pause, retenant sans doute l'émotion qu'elle sentait monter dans son être. Ce silence contribua à décupler la tension naissante. Les filles devenaient nerveuses. Quelle était donc cette fameuse transformation à venir, source de tout cet émoi? La réponse tomba sèche comme un couperet: L'institution allait se métamorphoser en un centre de redressement, un centre fermé!

Cette nouvelle eut l'effet d'une bombe pour les dix-huit adolescentes, soudain sidérées. En état de choc, j'éprouvais de la difficulté à respirer. J'entrevoyais déjà les barreaux installés à nos fenêtres. J'imaginais les règlements plus sévères et la discipline plus rigide nous bousculant et nous limitant dans nos actions. De délinquantes juvéniles que nous étions, nous devenions, aux yeux de notre entourage, des criminelles!!! Des filles se mirent à pleurer à la pensée de cette prison future, tandis que moi je me sentais coincée dans mon corps devenu trop petit. L'air s'était raréfié dans la pièce et je souhaitais que finisse au plus vite cette réunion insupportable.

Nous savions toutes que cette idée déconcertante provenait de la nouvelle psychoéducatrice. Elle quittait un travail dans un centre de correction et en avait long à redire sur la méthode libérale employée à notre résidence. Sans doute avait-elle conçu un rapport remis aux hautes instances de l'institution qui, sans trop l'approfondir, avaient souscrit à ses propos. Comment savoir ce qu'elle avait pu colporter pour qu'une telle décision soit acceptée?

Une demi-heure après cette rencontre tendue, l'atmosphère devint littéralement électrisante. Une des filles du centre, Sophie, en proie à une véritable fureur, s'empara de sa toile de macramé, aux contours de bois, et se dirigea d'un pas décisif vers l'éducatrice qui, en quelques minutes, était devenue notre pire ennemie. Avant même qu'elle ne puisse réagir, Sophie lui en asséna un violent coup sur la tête. Visiblement secouée par cette agression brutale, et devant la colère montante des filles, l'éducatrice se dirigea vers moi et me remit les clefs de certains locaux de l'étage. Puis, elle déguerpit en vitesse après avoir verrouillé la porte de l'extérieur. Nous étions livrées seules à notre révolte, les autres éducatrices ayant déjà quitté les lieux après la réunion. Une seule employée demeura à l'étage inférieur, n'osant intervenir dans notre débâcle.

Cette remise inopinée des clefs m'insuffla une force insoupçonnée qui m'amena à poser les gestes qu'il fallait. L'atmosphère devenue lourde et agitée nous écrasait. En l'absence des éducatrices, les filles découvraient tout à coup un espace sans contrainte pour exprimer leurs souffrances retenues depuis trop longtemps. Une psychose collective s'ensuivit... Tout le monde agissait sans aucune retenue. Je me retrouvais en présence d'un groupe déchaîné par l'injustice.

Une fille se mit à courir dans les couloirs en criant et en gesticulant. Un effet déclencheur se produisit et les autres occupantes de l'institution se soulevèrent. On aurait dit qu'elles se retrouvaient sous l'emprise de puissances incontrôlables. Je me sentais dépassée par ce vent de panique qui prenait des proportions dramatiques. Seule l'entente tacite survenue entre l'éducatrice et moi me permettait de dominer la situation.

En abdiquant, elle n'avait certainement pas prévu l'ampleur des dégâts.

De sa chambre, une fille m'appela à grands cris: «Marie-Lou! Marie-Lou!» Je fus bouleversée de découvrir Julie, ma grande amie, en train de se taillader les poignets. Le sang coulait abondamment. Je courus chercher des ciseaux dans ma chambre et je coupai des draps pour lui confectionner des pansements et lui faire deux garrots. Ensuite, grâce à une des clefs du trousseau, j'ouvris le local de la pharmacie et je revins avec un contenant de comprimés de valium. En prenant soin d'avaler moi-même quelques-uns de ces cachets, j'en donnai un à Julie qui se calma peu à peu et sombra dans un profond sommeil. Je fis ensuite le tour des chambres et j'en distribuai à la majorité des filles.

Sans doute inspirée, je me dirigeai vers la chambre de ma voisine. En ouvrant la porte, mon cœur tressaillit. Marguerite, sur le bord de la fenêtre, s'apprêtait à sauter du deuxième étage. Je n'eus que le temps de foncer vers elle pour l'attraper par les cheveux et la tirer vers moi. Elle s'effondra dans mes bras comme une petite enfant apeurée. Son visage livide, complètement transformé par la souffrance, faisait pitié à voir. Un torrent de larmes s'échappait de ses yeux comme une cascade sans fin.

Puis, je mis une valium dans sa bouche et l'aidai à regagner son lit. Elle y resta prostrée dans une position fœtale. Je ne voulais pas la laisser seule. N'essaierait-elle pas de nouveau d'attenter à ses jours ou de se blesser en tentant de fuir? Dormait-elle vraiment ou faisait-elle semblant? Avec regret, je l'abandonnai à sa souffrance car d'autres filles réclamaient mon aide. Dans cet affolement généralisé, je semblais être la seule à ne pas avoir perdu la raison. Entre-temps, je vérifiai si Julie dormait toujours. Je savais que ses poignets nécessitaient une intervention médicale, mais pour l'instant, je ne pouvais rien faire de plus. Impossible de rejoindre *Urgence Santé*, puisqu'il n'y avait aucun téléphone sur l'étage.

Soudain, j'entendis Martine, ma meilleure amie, crier dans sa chambre. Devenue hystérique, elle faisait vraiment pitié à voir. Dans des excès de furie, elle frottait ses ongles très longs contre la moustiquaire de sa fenêtre. Ce bruit semblait amplifier sa folie. Lorsqu'elle me vit à travers son rideau de larmes, elle s'agenouilla et me demanda dc l'aidc. Jc lui offris donc, à elle aussi, un comprimé de valium. Martine s'apaisa peu à peu pendant que je la berçais en fredonnant une chanson. Elle s'endormit en suçant son pouce.

Quant à Fabienne, elle avait régressé dans le temps. Assise au beau milieu de sa chambre, elle se balançait, d'avant en arrière, les yeux dans le vague. Lorsque je mis délicatement ma main sur son épaule, elle sembla sortir de sa torpeur. Je sursautai en entendant son cri de désespoir surgir des profondeurs de son être. Les larmes coulèrent sur son beau visage. Après lui avoir donné un calmant, je m'installai derrière elle et la berçai tendrement. Aucun geste de réconfort ne semblait rejoindre sa peine immense. Enfin, brisée par la fatigue et sous l'effet du somnifère, elle s'endormit à son tour.

À la manière d'une grande sœur, je circulai auprès des dix-sept filles en détresse. Dans le couloir, l'une d'elles tenta de m'arracher des mains la bouteille de valium. Je criai son nom très fort, pressentant le geste ultime qu'elle voulait poser au paroxysme de son désarroi. Elle réagit aussitôt et se mit à pleurer en se retirant dans sa chambre. Avec tristesse, je la suivis des yeux. J'aurais voulu pleurer avec elle, mais je ne le pouvais pas.

Au bout d'un certain temps, tout sembla rentrer dans l'ordre lorsqu'une porte claqua. Quelqu'un se mit à crier. En écho, j'entendis d'autres filles s'éveiller à leur souffrance intérieure et le scénario de terreur recommença. Ce n'est qu'aux petites heures du matin que les pensionnaires, épuisées, s'endormirent une à une. Après une dernière vérification dans toutes les chambres, je me retrouvai dans la mienne, couchée sur mon lit, à me demander s'il était sage de m'assoupir alors qu'une fille pouvait attenter de nouveau à ses jours.

Complètement exténuée et anéantie par ces événements, je me mis à trembler si fort que tout mon corps me faisait atrocement mal. Mon cerveau fonctionnait à cent kilomètres à l'heure. La panique me gagnait, ne sachant pas ce qui se passait dans mon être. J'avais besoin d'être réconfortée. Dans cette chambre aux murs blancs, je me sentis abandonnée par la vie. Le mal s'infiltrait dans mon ventre et un mur de honte se dressait devant moi. Je ne possédais sûrement pas ce qu'il fallait pour être aimée. Comme mes camarades d'infortune, je représentais un déshonneur pour la société. Nous étions placées dans une institution où personne ne voulait de nous. Pourtant, malgré nos attitudes revêches et intransigeantes, nous étions les êtres les plus fragiles et les plus vulnérables, d'une sensibilité à fleur de peau.

Plus rien ne troublait le calme régnant désormais dans l'établissement. Les filles dormaient. Dans le silence et la solitude de l'aube naissante, j'entendais le bruit saccadé de ma respiration, encore agitée par les tremblements de mon corps. Seule et abandonnée, peut-être allais-je mourir sans que personne ne s'inquiète de mon sort? Les larmes montèrent, mais je refusai de les laisser couler. Une grosse boule se forma dans mon estomac.

Au matin, la chanson fétiche d'une des éducatrices: «Pourquoi le monde est sans amour?» de Mireille Mathieu, répandue par les haut-parleurs de l'étage, réveilla les filles. Elle ne pouvait mieux tomber! Pas de doute, le monde se révélait sans amour! Il croulait sous l'indifférence et la froideur. À la suite de cet épisode dramatique, j'eus la conviction que ma destinée ne serait plus jamais la même.

Quelques jours plus tard, alors que tout semblait revenu à la normale, on me transféra à *Zygoma*, une maison de transition à Montréal. Une place s'y était libérée. Mon départ du centre d'accueil, le jour de mes dix-huit ans, restera à jamais gravé dans ma mémoire. Je fis mes adieux aux filles. Chacune d'elles me remit un cadeau ou une carte remplie de bons souhaits. Le cœur lourd, je les quittai. Le taxi m'attendait pour me conduire vers une existence nouvelle.

Avant de mettre ma valise dans le coffre de l'auto, je regardai une dernière fois la bâtisse. Je levai les yeux vers l'étage supérieur et ce que je vis m'ébranla profondément. Toutes les filles étaient là, chacune à sa fenêtre ou à celle du salon, pleurant mon départ. Martine tenait un petit écriteau sur lequel on lisait: «On t'aime, Marie-Lou, merci.»

J'eus un gros serrement au cœur. Je ne voulais pas pleurer devant elles. Je devais être forte jusqu'au bout. Devant leurs marques d'affection, je me sentais incapable de partir. Un autre écriteau apparut dans une des fenêtres: «Tu es notre meilleure amie.» Puis, un troisième: «Ne pars pas...!»

Émue jusqu'aux larmes, le cœur en mille miettes, je leur criai avant de m'engouffrer dans le taxi: «Je vous aime!»

Le chauffeur me laissa au coin de la rue, près de ma nouvelle résidence. Je déposai ma valise par terre et je regardai le taxi filer au loin. Une immense solitude me submergea. C'était comme si le train venait de quitter la gare. Les voyageurs rentraient chez eux alors que je restais là, complètement seule, abandonnée à mon destin. Je savais que personne ne viendrait me chercher. En cet instant de grande tristesse, j'avais le choix: partir en douce dans la nature ou bien aller vivre dans ma nouvelle maison.

Je me souviens de la caresse du vent dans mes cheveux. Hélas, seule cette brise pouvait me donner de la tendresse puisque les adultes en étaient incapables. Qui étais-je vraiment à leurs yeux? Rien? La porte de mon cœur se ferma et se verrouilla à double tour. Je voyageais en étrangère sur cette planète. On m'avait même donné un passeport pour une vie misérable...

Par la suite, la peur ne me quitta guère. Une sévère dépression mit en veilleuse mes espoirs de guérison et je m'éloignai de plus en plus de mon entourage. M'enfermer dans ma prison intérieure pour ne pas souffrir davantage, tel était mon seul refuge devant les épreuves. Incapable de me libérer, je demeurais captive dans ma tour de silence...

Après mon récit, je me mis à pleurer à chaudes larmes. Je ne pouvais retenir les portes des écluses, fermées depuis si longtemps. Vingt-cinq années me séparaient de cet épisode douloureux et je le revivais, là, dans le bureau du père Claude, comme s'il était survenu la veille. Lorsque mes pleurs se calmèrent, j'aperçus les yeux rougis du père Claude. Il ne disait mot dans ce silence installé entre nous. Au bout de quelques minutes, il murmura, d'une voix éraillée:

«Bravo! Marie-Lou, tu as traversé l'épreuve de ressusciter le souvenir pour le libérer. Tu as plongé au cœur de ta frayeur pour déraciner le malaise. Pour que ton être s'épanouisse davantage, il importe de mourir aux nombreuses attaches qui t'enchaînent au passé. Ce voyage vers tes sombres souvenirs peut demander des mois de ménage intérieur. Mais quelle délivrance quand ta respiration devient plus ample et apaisée, quand tu peux ressentir la vie couler de manière limpide en toi. Chaque petit pas sur le sentier de la purification t'amène à réaliser que, derrière tout sombre souvenir, se cache un trésor débordant de richesses. Et quand enfin tu le découvriras, tu seras éblouie par son contenu.»

J'éprouvais tout à coup beaucoup de gratitude pour l'écoute compatissante et les conseils judicieux de ce prêtre. Grâce à la confiance illimitée qu'il me manifestait, je pouvais m'abandonner sainement à mes noirceurs pour me départir d'une partie de mon fardeau émotif. Je reconnus dans son attitude charitable, sa générosité au service de l'Amour. Il ajouta:

«Lorsque tu as peur, tu n'as plus la maîtrise de toi-même. Même si dans les faits tu peux paraître en situation de contrôle, ton être entier est dévasté et te conduit là où le vent te pousse, sans aucun discernement. Avec les filles du centre, tu semblais en pleine possession de tes moyens alors qu'à l'intérieur de toi, ton cœur se brisait sous la charge émotive devenue trop forte. Tu as agi pour le mieux, et c'est bien ainsi.

La peur qui régnait dans cette résidence aurait pu entraîner un désastre beaucoup plus important. Grâce à ton courage, tu as su maintenir à flot ton bateau en péril. Aujourd'hui, tu as même délivré ses cales de ton surpoids de souffrances. Je suis touché et impressionné par ton courage et aussi ton dévouement sans borne.

«Marie-Lou, la peur demeure une puissance destructive si elle n'est pas canalisée et transmuée en une nouvelle énergie. S'en libérer au profit d'une vision juste de la situation permet de faire d'autres pas plus grands sur le sentier de la libération et de la guérison. Je te le concède, il n'est pas évident de transformer la peur au cœur même de l'action. Cependant, tenter le coup en vaut la chandelle.»

Il disait vrai. Pourquoi ne pas aller de l'avant? Trop souvent, mes peurs avaient dominé aussi bien mes pensées que mes paroles et mes actions. Mes tentatives désespérées de garder le contrôle indiquaient de façon très claire que j'avais perdu la maîtrise de ma vie. Je naviguais sur une mer hostile. Pourtant, je désirais tellement accoster les rivages sablonneux d'une île ensoleillée pour enfin goûter aux bienfaits de la paix intérieure. Malheureusement, la peur ne se dissipait pas d'un seul coup de baguette magique! Je devais poursuivre mon nettoyage intérieur, me libérer encore davantage de tous mes mauvais souvenirs et traumatismes.

Ce jour-là, je me déchargeai d'un autre épisode de ma vie où la peur m'avait fait vivre toute une gamme d'émotions. Quelques années plus tôt, j'assistais à une conférence donnée par un sage venu d'Orient. Pendant la méditation, une fille, assise devant moi, se mit à trembler comme une feuille. Personne, sauf moi, ne semblait réaliser sa détresse. En l'observant, je me sentis mal à l'aise. Après quelques minutes de soubresauts, ses tremblements s'atténuèrent. Elle devint calme et immobile comme une statue. À la pause, je m'approchai d'elle pour lui demander comment elle se portait. Elle me regarda d'un air surpris et déclara:

«Ça va très bien. C'est plutôt toi qui affiches une mine déconfite!»

Je lui expliquai mon malaise et ma crainte face à ses tremblements.

Elle me souligna gentiment:

«Si chaque personne pouvait trembler quand la peur s'installe, pleurer quand elle en ressent le besoin, rire à gorge déployée quand elle vit des moments heureux, il y aurait moins de crises cardiaques sur la planète. Tout à l'heure, j'ai vécu la peur. Au lieu de la combattre ou de la fuir, je l'ai laissée s'extérioriser. Après m'avoir envahie, la peur m'a quittée en douce. En ce moment, je suis en pleine possession de mes moyens. Et toi, comment te sens-tu?»

Comment je me sentais? Mais mal, très mal! Je me rappelais les tremblements vécus plusieurs fois lors de mon adolescence. Impossible d'en connaître leur origine! Ils arrivaient comme ça, à l'improviste, me clouant au lit pendant de longues heures. Lorsque je luttais contre eux, ils s'amplifiaient et duraient plus longtemps. Quand je les acceptais, ils s'atténuaient sous l'œil vigilant de ma sœur jumelle ou de l'éducatrice Francine. Parfois, plusieurs personnes se retrouvaient autour de moi, tentant de calmer la peur qui me secouait en spasmes violents. Heureusement, tôt ou tard je réussissais à reprendre la maîtrise de mon bateau à la dérive...

Cet incident spécifique me rappela à quel point ma fragilité, étouffée sous des abords de garçon manqué, agissait toujours en force dans ma vie. Avec le temps, mes frayeurs et mes traumatismes dévoilés et partagés au père Claude, contribuèrent à cicatriser plusieurs de mes blessures. En m'abandonnant à l'instant présent et en portant un regard juste sur les situations de ma vie, j'évitais de m'enfoncer dans des scénarios dignes de bons polars. Je m'élevais au-dessus de ma condition de victime pour retrouver ma véritable nature, celle qui prend naissance dans l'amour de soi.

Nantie de cette nouvelle énergie, je décidai de sonder encore plus loin les profondeurs de mon être. Je souhaitais construire un pont entre toutes mes années de souffrances et la plénitude à laquelle j'aspirais tant. Je savais que ce lien ne pouvait s'édifier sans mon consentement à faire un pas de plus dans les coulisses de mon univers intérieur...

4

LA PURIFICATION

«Purifie d'abord le dedans de la coupe, pour que le dehors aussi devienne pur.»

(Matthieu 23, 26)

Un peu comme on entreprend la grande marche sur le chemin de Compostelle, je décidai de me délester de toute pensée encombrante pour m'engager avec assurance et confiance sur le sentier de la purification. Je désirais, avec une ardeur sans nom, atteindre le point où mes yeux se dessilleraient pour contempler, sans œillères, les beautés de ce monde.

Lors de mes nombreux séjours à San Francisco, je restai chez un vieux monsieur charmant, mon ami Bryan. Cet homme remarquable, je le surnommai mon vieux sage, car sa philosophie de vie se révélait exceptionnelle. À chaque jour, dans la quiétude matinale, nous gravissions une colline surplombant le Pacifique. Le vent y ramenait des odeurs agréables de sel et de varech. Nous nous reposions sur une petite butte rocailleuse pour admirer les splendeurs de Dame Nature et partager nos réflexions sur la vie. Un jour, il me raconta une histoire stupéfiante:

«Un jeune homme aspirait vivement à l'illumination. Ce dernier rencontra un grand maître afin qu'il lui indique le moyen d'atteindre la sérénité en plénitude. L'enseignant conduisit le jeune homme à l'extérieur du dojo et l'invita à mettre sa tête dans un grand bassin d'eau. Puis, sans crier gare, il immobilisa le disciple avec ses deux mains, l'empêchant de remonter à la surface pour inspirer l'air vital. Quelques longues secondes plus tard, le jeune homme, à bout de souffle, commença à s'agiter, mais le maître ne broncha point. Finalement, le sage le relâcha. Il lui déclara calmement, avant de le quitter: "Si tu désires l'illumination autant que tu aspirais à cette bouffée d'air, tu l'obtiendras."»

Quelle leçon! Je souhaitais moi aussi un changement radical dans ma vie. Je convoitais l'illumination et la paix profonde autant que ce jeune homme. Je savais que je pourrais retrouver une certaine paix de l'esprit, du moins à la condition de ne plus accepter de compromis sur ce parcours. Une amie m'assura que le seul moyen de purifier son être consistait à se départir de son passé. Pour atteindre ce but, elle jeta toutes ses photos et objets lui rappelant la période révolue de son existence. Au terme de cette action libératrice, elle se sentit complètement renaître!

L'esprit humain étant parfois étrange et influençable, je m'imposai la même stratégie. Assise par terre, au beau milieu du salon, je récitai une petite prière avant d'entreprendre le grand ménage. Après un dernier regard sur chacune de mes photos, je les jetai une à une à la poubelle avec, parfois, un fort pincement au cœur. Je ne pouvais rester de glace devant ce déferlement d'images arrachées au passé et conduites aussitôt à leur anéantissement. Malgré le sentiment persistant de faire erreur, je poursuivis ma démarche jusqu'au bout. Dans un réflexe conservateur, je sauvegardai quelques photographies de mon enfance que je plaçai dans un album.

Je réalisai avec le temps que j'avais agi sans discernement et je regrettai cette action téméraire. Me dépouiller de mes photos ou de mes objets significatifs ne me délivrait pas pour autant de mes souffrances. Le détachement ne consistait pas tant à me déposséder des articles possédant une valeur symbolique que de me départir du sentiment émotif qui leur était lié.

Cette mésaventure m'incita à adopter une nouvelle attitude. Plutôt que de lorgner les moyens extérieurs pouvant me conduire à la libération, je m'attardai davantage à trouver les foyers d'infections tapis au fond de mon être. Un rêve spirituel, que je nommai *L'écran surnaturel*, me révéla avec force l'ampleur de mes égarements.

J'errais sans but précis dans des tunnels sombres et lugubres. Des gens se cramponnaient les uns aux autres comme à des bouées de sauvetage. Une grande souffrance se lisait au fond de leurs yeux. En réalité, ils me renvoyaient un reflet de ma propre misère. Je m'enfonçai dans des couloirs encore plus ténébreux. Une colère sourde contre un Dieu sans visage m'envahit. Je parcourais la terre à sa recherche. Il demeurait caché, invisible! Je ne voyais que des murs et des obstacles, présages de sombres fatalités.

Sans raison apparente, je pensai à l'Amour. Aussitôt, je me retrouvai dans un lieu limpide, rempli de beauté. Des petites lumières dorées brillaient, ici et là, éclairant cet espace mirifique. Une immense porte attira mon attention. Je m'approchai d'elle et sans hésitation, je l'ouvris... Avec étonnement, je découvris une grande pièce aux murs jaune pâle ayant, pour seul meuble, un pouf en plein centre.

À peine installée sur ce gros coussin, un bruit tranchant comme celui d'un voile se déchirant brusquement, résonna dans ma tête. Les murs du souvenir s'ouvrirent et je vis apparaître, sur un écran gigantesque, les multiples erreurs de ma vie ainsi que les souffrances infligées aux autres pour me permettre de mieux vivre. Pétrifiée par l'ampleur de mes imperfections, je contemplai mes violences et mes haines qui écrasent et manipulent, mes contrôles et mes mensonges qui étouffent et détruisent. Tout était là, étalé comme un livre de mauvais goût.

Ce rêve me troubla longtemps. Il m'avait révélé, sans pudeur, une partie de moi où se terraient mes petitesses et mes limites. Je constatais à quel point mon mode de fonctionnement déviant et névrosé provenait de mon enfance où le délaissement avait prédominé sur la tendresse et l'affection. Soudain, j'éprouvais de la culpabilité! Je voulais me cacher! Je désirais réparer mes erreurs, mais je ne savais comment m'y prendre.

Après avoir raconté ce rêve au père Claude, il m'assura d'un travail de purification à long terme! Toutefois, il tempéra en déclarant:

«Ce travail s'amenuisera au fur et à mesure que tes foyers de souffrances seront assainis. Mais n'oublie jamais que tu es un être humain; donc, sujette à l'erreur. Ta capacité de purifier tes terroirs dès qu'ils se salissent te conduira inévitablement vers l'authenticité. Il importera même, en cours de route, de te débarrasser de tes jugements négatifs; ils sont le piège principal t'enfermant dans le doute et la méfiance. Toutefois, dans leur pôle positif, les jugements sont essentiels pour donner une direction et un sens à ta vie. Ils te permettent de faire des discernements et des choix judicieux.»

Incontestablement, mes jugements nombreux, parfois démesurés face à la réalité, s'avéraient des obstacles majeurs à mon avancement personnel et spirituel. D'ailleurs, quelques années plus tôt, un événement particulier m'avait fait entrevoir l'impact de mes condamnations intempestives sur autrui. Je fréquentais de façon sporadique un centre de croissance à San Francisco, aux États-Unis. La principale exigence pour participer à un des groupes de soutien consistait à s'abstenir de juger qui que ce soit.

«Bof! Pas de problème!» m'étais-je dit intérieurement. *«Nul besoin d'être vigilante en ce domaine. Je suis de nature tolérante et indulgente!»*

Ce soir-là, dès les premières minutes de la rencontre, un homme commença à m'exaspérer. Il travaillait pour une compagnie alimentaire et ne parlait que de sa livraison de beignets. Je le trouvais déplacé et hors de propos au milieu de tous ces gens éprouvés par la souffrance. Lorsqu'il se taisait, je sentais les participants respirer plus aisément. Puis, au bout d'un certain temps, le livreur monopolisait de nouveau l'attention et élaborait davantage sur les multiples difficultés et contraintes liées à son métier. Quelle guigne!

Après la soirée, inconsciente de mon négativisme envers cet homme, je pris le chemin du retour à la maison. À une intersection, je vis une pâtisserie avec l'enseigne «ouvert» sur la porte. J'entrai, poussée par un excès de gourmandise. À la vue des beignets étalés sur les présentoirs, un déclic se fit en moi. Je me remémorai avec stupeur mes critiques malveillantes et condescendantes projetées silencieusement sur le livreur durant la réunion.

Cette constatation me figea sur place. La culpabilité s'infiltra en moi, enserrant ma conscience comme dans un étau. Avec spontanéité et sincérité, cet homme avait exposé son vécu de chaque jour pendant que moi, je l'avais dardé de jugements à répétition! Et vlan pour la tolérance! Je quittai les lieux précipitamment, les mains vides.

Ce soir-là, je renforçai ma détermination à devenir davantage accueil et compassion pour quiconque voudrait bien me partager des épisodes de sa vie. Lorsque je reverrais le livreur à la prochaine réunion, je prendrais le temps de l'écouter comme un frère à respecter et à aimer plutôt qu'à juger et condamner. Je ne l'ai jamais revu.

Avec le recul, je compris que cet événement ne représentait pas un cas isolé. Il m'arrivait, à l'occasion, de porter ombrage à un individu en ne le considérant pas comme une personne digne d'être écoutée ou de retenir mon attention. Je choisissais de réagir devant nos différences plutôt que de regarder nos similitudes. Inévitablement, je portais atteinte à mon propre cheminement et celui de l'autre, car je n'avançais plus sur les sentiers de l'Amour.

Cette nuit-là, un rêve me fit comprendre l'importance d'abandonner mes faux jugements et mes interprétations arbitraires. J'intitulai ce rêve: *Anéantissement*. J'étais seule. Je déambulais craintivement dans une région lugubre. Le silence et l'obscurité régnaient. Où se trouvaient les maisons? Où se cachaient les gens? Une longue colonne de fumée opaque s'élevait à l'horizon. Une odeur nauséabonde montait à mes narines. Je réalisai avec effroi que cet endroit venait de subir les assauts d'une guerre nucléaire.

Soudain, je me retrouvai au milieu de cadavres et d'agonisants. Des appels à l'aide se lisaient dans les yeux des blessés alors qu'ils tendaient leurs mains affaiblies vers moi. Allais-je encore refuser d'aimer et d'aider? Mon cœur se tordit devant autant de souffrances. Je vis, près d'une grosse pierre, une petite fille recroquevillée. En m'apercevant, elle se mit à crier:

«Maman! Maman!»

Je m'approchai d'elle. Il s'agissait de ma fille. Elle s'agrippa à moi et me demanda en pleurant:

«Pourquoi as-tu permis cela?»

Sur ces paroles déroutantes, je me réveillai en état de panique. Je ne comprenais pas pourquoi mon enfant me rendait responsable de ces disparitions massives. Le sentiment qui subsistait demeurait la peur.

À la longue, je remarquai avec consternation que mes égoïsmes et mes manques d'amour contribuaient à former des chaînes de haine. Tout comme chacun d'entre nous, je devais répondre de la guerre nucléaire. Mes pensées guerrières, jumelées à celles des autres personnes de la terre, avaient produit dans «l'espace-temps» une concentration négative tellement forte qu'elles s'étaient matérialisées et avaient pratiquement décimé la race humaine.

En réfléchissant et en discutant avec quelques personnes sur le sens de ce rêve, je réalisai que si les hommes et les femmes de la terre modifiaient leur manière d'entrer en relation avec eux-mêmes, les autres et la nature, s'ils mesuraient la force de l'amour partagé, s'ils s'engageaient dans une quête de sens, de vérité et surtout, de purification, nul doute qu'ils pourraient créer, ensemble, une pensée universelle de fraternité et d'unité. Un courant d'amour circulerait sur le monde entier, renversant ainsi le destin incontournable et funeste de l'être humain, si ce dernier continuait de perpétuer la violence et la haine.

Mon cheminement m'entraîna finalement vers un chemin peu fréquenté: le pardon. Cette étape allait contribuer non seulement à transformer ma vie, mais à me faire comprendre que derrière toute aigreur se cache un enfant blessé cherchant à être reconnu. Aussi, que les défauts des autres réfléchissent les miens avec autant d'exactitude que ne le ferait un miroir pour une personne qui s'y mire...

5

LE PARDON

«Si ton frère vient à t'offenser, reprends-le; et s'il se repent, pardonne-lui. Et si sept fois le jour il t'offense et que sept fois il revienne à toi en disant: "Je me repens", tu lui pardonneras.»

(Matthieu 18, 21-22)

D'aussi loin que je me rappelle, j'ai toujours perçu le pardon comme une belle théorie, sans plus. À mon avis, seules les âmes avancées spirituellement pouvaient le pratiquer puisqu'il fallait beaucoup de bienveillance pour pardonner au fautif ses erreurs. Je n'étais pas de ces personnes. Je nourrissais mes colères de pensées soupçonneuses et je demeurais bien souvent impuissante à résoudre mes désaccords. Bref, les personnes qui considéraient le pardon comme une sorte de baguette magique m'irritaient. Selon elles, en l'agitant, toute relation tendue se transformait en une merveilleuse histoire de réconciliation. Ce genre de miracle instantané ne me satisfaisait guère.

À mon avis, le geste du pardon comportait une condamnation préalable. Me servir du pouvoir de jauger et de condamner les personnes présumées «coupables» m'embarrassait au plus haut point. Je ne voulais pas m'attribuer le rôle du juge déterminant la gravité de l'erreur pour ensuite, du haut de ma chaire, poser le verdict du pardon, et ce, dans la mesure où l'incriminé acceptait de ne plus récidiver. Car, implicitement, l'acquittement incluait toujours une ou quelques conditions.

Sans aucun doute, cette forme de contrôle accentuait le désordre dans le monde, car il ne s'agissait plus d'indulgence mais de domination. Je ne parle pas, évidemment, des cas où le coupable doit être traduit en justice pour délit grave, mais bien des conflits interpersonnels qui grugent et minent toute relation.

Qui étais-je de toute façon pour blâmer quelqu'un? Comment pouvais-je sans me tromper connaître les véritables raisons de penser et d'agir des autres? Les conflits ne pouvaient-ils pas constituer des appels à l'amour plutôt que des attaques personnelles? Les gestes désespérés de colère et de haine ne cachaient-ils pas les souffrances secrètes de l'âme blessée?

Selon certaines personnes, le pardon entraînait des réconciliations si notables que la vie pouvait même reprendre son cours normal. Mais alors, cela impliquait-il le remariage? la libération d'un prisonnier? ou encore, l'indifférence devant les injustices sociales et individuelles? Devais-je adopter une attitude compatissante devant les personnes pour qui je n'éprouvais qu'antipathie et inimitié? Certes, le pardon défaisait les nœuds de haine dans l'invisible, mais il ne changeait certainement pas le caractère ou la déviance de «l'autre»!

Devant mes incompréhensions et mes questionnements, mon vieil ami américain, Bryan, m'apporta des éléments de réponse. Un jour, il me confia un secret longtemps gardé au creux de son cœur. Nous marchions sur la grève de Long Beach lorsque, sans préambule, il me lança:

«Marie-Lou, savais-tu que j'ai fait partie de l'équipe qui a fabriqué la bombe atomique lancée sur Hiroshima?

– Non!» répondis-je, étonnée.

Il reprit comme pour s'excuser:

«J'étais un jeune chimiste naïf et j'ignorais tout des projets meurtriers du gouvernement. En réalité, je croyais que la bombe devait exploser dans l'océan Pacifique à titre expérimental. Je repoussais ma petite voix intérieure me murmurant qu'une bombe ne constituait pas un jouet pour enfant et encore moins un divertissement pour adulte. Lorsque la bombe nucléaire détruisit Hiroshima, le 6 août 1945, faisant plus de cent mille victimes, j'ai sombré dans un enfer mental indescriptible qui dura de nombreuses années. Je me sentais coupable d'avoir contribué à la fabrication de cet engin destructeur destiné à exterminer des êtres humains.»

Bryan cessa de parler et porta son regard au loin... Puis, il poursuivit:

«Vingt ans après cet événement, une coïncidence singulière mit un terme à mon pénible cauchemar. Durant un voyage outre-mer, je rencontrai une Japonaise d'un certain âge dont la famille avait péri au moment de l'explosion de la bombe atomique sur Hiroshima. Cette femme fut épargnée car elle se trouvait sur un autre continent au moment de la tragédie. À partir de ce moment fatidique, elle voua une haine féroce et insatiable aux Américains, responsables de ce massacre inhumain. Les années ne parvenaient pas à déraciner la souffrance terrible qui dévastait son cœur et son âme.

«Un jour, elle croisa sur sa route un moine qui s'efforça, tant bien que mal, de l'apprivoiser à l'idée du pardon. Peine perdue! Deux longues années s'écoulèrent avant qu'elle ne consente à éteindre le feu de son ressentiment et de son hostilité envers la race fautive. Avec son conseiller spirituel, la Japonaise prit conscience que la haine avait causé la perte de son peuple et que cette même haine la détruisait en perturbant son quotidien. Elle devait donc arrêter ce cycle effroyable de violence en commençant par guérir ses propres animosités. Elle accepta donc le moyen suggéré par ce religieux: le pardon. Au terme de sa longue démarche, elle recouvra une grande liberté d'esprit.»

Le silence s'installa de nouveau entre Bryan et moi. Une mouette virevolta dans le ciel limpide. Il continua:

«Touché par la transparence de cette Japonaise, je lui avouai courageusement ma "faute". Je lui révélai à quel point les images de cette tragédie avaient hanté ma vie. La Japonaise, au cœur profondément meurtri, eut alors un geste de compassion aussi extraordinaire qu'inattendu. Dans l'espace restreint de l'avion, elle me serra dans ses bras et, tout en fredonnant dans sa langue maternelle une belle chanson d'amour, elle me berça longuement pendant que je sanglotais.

«Ce fut le plus beau jour de ma vie», conclut Bryan, d'une voix enrouée. «Grâce à cette femme charitable, j'ai réussi à me libérer du poids lancinant de la honte camouflée sous les traits d'une dépression majeure et insupportable.»

Après son récit, Bryan me regarda droit dans les yeux. Son regard empreint d'amour me remua jusqu'au fond de l'âme. Son histoire me permit de comprendre que le pardon ne constituait pas uniquement une affaire de justice mais un geste de charité envers une personne malheureuse. Par le pardon, je me tournais vers l'autre, sans jugement ni condamnation, reconnaissant le lien qui nous unissait au-delà de l'expérience humaine de haine et de ressentiment.

Nous portons tous au sein de notre être des blessures infligées par autrui. Avant d'apposer le sceau du pardon, je devais m'accorder le temps et l'autorisation de vivre mes émotions en plus d'assumer les réactions de toutes sortes que ces blessures faisaient émerger en moi.

Toutefois, je devais rester sur mes gardes afin de ne pas éclabousser quiconque durant cette étape de mon cheminement. Car, toute pensée, parole et action provoquaient des réactions en chaîne, des réponses engendrant à coup sûr d'autres répercussions en soi et autour de soi.

Personne ne pouvait se vanter d'être exempt de faiblesses et de vilenies. En reconnaissant que je pouvais posséder, ne serait-ce qu'un «petit peu» cette même attitude désagréable (celle-là même que je condamnais chez les autres), je m'ouvrais à la possibilité de guérir mes propres aigreurs et emportements. Somme toute, le pardon représentait le choix merveilleux de la paix et de la libération.

Toutefois, je ne me leurrais pas! La paix constante et durable demeurait une utopie puisque chacun d'entre nous fonctionnons selon un système de valeurs différent. Et, comme nous affirmons tous avec certitude que nos préceptes sont les meilleurs, il y a de fortes chances que la bouilloire se mette à siffler lorsque les esprits s'échauffent devant les multiples contradictions de l'être humain.

Néanmoins, toute transformation ne peut s'accomplir sans le désir ferme de préférer la paix au conflit et l'amour à la haine. Par la pratique de la vigilance, sans devenir une obsédée, je pouvais, dans l'instant présent, choisir la quiétude de l'esprit de préférence aux scénarios destructeurs. Ainsi, chaque personne croisée sur mon chemin devenait une occasion unique de modifier ma perception et de développer ma tolérance. En enfermant mes jugements à double tour dans le caveau de l'oubli, j'accueillais l'autre tel quel, aussi bien dans sa force que dans sa fragilité.

L'inconfort dans mes relations provenait invariablement d'un manquement à l'amour et de l'interprétation inadéquate d'une action. Mes jugements positifs ou négatifs m'empêchaient de poser un regard limpide sur les événements du quotidien et me renvoyaient souvent à une critique intempestive et biaisée des autres. Ce qui dégénérait inévitablement en conflit.

Je confondais également les verbes «pardonner» et «accepter». À mon sens, le pardon impliquait nécessairement l'acceptation d'une faute, ce qui m'apparaissait tout à fait éhonté. En fait, le pardon ne représentait pas l'approbation d'un geste répréhensible. Mais pas du tout! L'individu coupable devait absolument subir les conséquences de ses délits devant la justice. Pas de négociation possible là-dessus! Toutefois, le pardon supposait que derrière tout méfait, une âme blessée criait à l'aide depuis son monde de peur. Mon pardon s'adressait à cet estropié de la vie, livré à son désespoir et incapable de faire l'expérience de la paix. Nullement à son action mauvaise et répréhensible!

Lors d'une rencontre, le père Claude me proposa le pardon en tant que démarche active de purification:

«Il t'aidera à libérer les souffrances de ton passé et à te défaire des attachements négatifs que tu maintiens envers ceux et celles que tu considères comme tes ennemis.»

Assurément, un lien solide nous unissait: celui de la haine et de la vengeance. Le pardon serait le fin ciseau coupant cette alliance malsaine pour rétablir une communication harmonieuse entre nos deux âmes errantes.

Je rédigeai une liste exhaustive des personnes pour lesquelles j'éprouvais du ressentiment ou de l'animosité. Avec stupeur, ma liste s'allongea pour s'arrêter à cent cinquante-six noms! Pendant plusieurs semaines, le cœur serré, j'entrepris le nettoyage complet de mes relations passées, progressant de l'offense la plus minime à la plus grave.

En second lieu, je fis un relevé de tous les gens que j'avais moi-même blessés et lésés par le passé. Quel dur coup pour mon amour-propre!

Je n'étais pas aussi compatissante que je le croyais. Dans les coulisses de ma pensée, je me nourrissais de haines et de rancœurs qui, en revanche, bloquaient mon énergie physique et me conduisaient directement vers la maladie.

Trop préoccupée à polir la surface de mon paraître, j'asservissais mon corps au lieu de lui insuffler la force transformatrice de l'amour. Malgré les abus réguliers que je lui faisais subir, je me soulevais d'indignation lorsqu'il ne répondait plus à mes exigences de santé. Mes colères me donnaient mal au foie; mes manques d'amour me causaient des palpitations; mes peurs me portaient à l'embonpoint. Mon être entier traduisait son désaccord en répondant par la maladie et la souffrance.

Chacune de mes cellules, ces milliards de petites étoiles baignant dans leur liquide, avait une fonction bien précise pour le maintien de mon équilibre physique et psychique. Lorsque mon esprit s'imprégnait de pensées négatives, un court-circuit s'établissait dans le fonctionnement harmonieux de mon être.

Après plusieurs mois de démarches de pardon, les toxines de mon cœur commencèrent à se dissoudre. Je ne pardonnais pas pour nier les offenses subies mais bien pour guérir mes blessures intérieures et en faire le deuil. En entrant en contact avec l'enfant blessé en moi, je me permettais de passer par les eaux vives de la colère ou par les flots timides de la tristesse, pour ensuite toucher les rives lumineuses de la compassion.

Je ne pardonnais pas non plus pour oublier, puisque cela s'avère impossible. Comment faire abstraction de la cicatrice laissée par une blessure? Par contre, la plaie étant guérie, elle ne s'éveillait plus au moindre signal d'alarme. En réalité, je pardonnais surtout pour alléger mon âme de son lourd fardeau, pour m'affranchir de mes liens néfastes et pour contribuer, par le fait même, à la paix mondiale.

Le pardon le plus difficile à concrétiser fut le mien car, seul l'amour pouvait me faire avancer sur cette voie. Malheureusement, j'éprouvais un mal fou à m'aimer, moi et mes déviances, moi et mes égarements. La Bible dit bien: «Tu aimeras ton prochain comme toi-même...» Allez-y voir! M'aimer! Il s'agissait là d'un véritable tour de force!

À mon avis, «aimer» impliquait une forme de mutinerie intérieure; mes pensées de peurs réunies contre celles de l'amour. Bien installée dans ma zone de confort, je préférais souffrir et me rebeller plutôt que d'apprendre à m'aimer. Ce sentiment signifiait expérimenter de la tendresse, celle-là même qu'on m'avait accordée parcimonieusement dans ma jeunesse. Et cela, j'en étais incapable! De toute façon, observation faite, l'amour serait toujours impossible. Tel s'énonçait mon postulat de base. Je préférais me vautrer dans mes souffrances présentes, puisqu'elles m'étaient bien connues, plutôt que d'entrer dans le pays merveilleux de l'amour réciproque et bien vécu.

Heureusement, mon soulèvement intérieur fut contrecarré par ma nouvelle attitude et mon désir sincère de paix et d'harmonie. À l'exemple de l'enfant s'évertuant à faire ses premiers pas, j'appris à éveiller l'amour qui sommeillait au plus profond de moi pour m'en imprégner sans réserve. Cette action transforma en totalité mon rapport avec moi-même et autrui.

À travers mes démarches et mes gestes de réconciliation, je constatai que le pardon parvenait à guérir des gens éprouvés depuis nombre d'années par une relation de couple à la dérive. Justina et André, deux personnes extraordinaires, rencontrées à plusieurs reprises dans un lieu de prière, en constituaient la preuve vivante. Ils rayonnaient d'une beauté intérieure indéniable. Leurs yeux brillaient d'une flamme peu commune, témoignant de leur grande spiritualité.

Lors d'une conversation avec ce couple heureux, j'appris que pendant vingt-huit ans, André s'adonna à l'alcool! Il entrait souvent à la maison, l'esprit aviné et le cœur de glace. Parfois, une force irrépressible le dominait si fortement que des envies de meurtre surgissaient dans son esprit. À plusieurs reprises, il dut quitter précipitamment la chambre où dormait sa femme pour éviter de passer aux actes; il refusait de donner préséance aux pensées malignes suggérées par son esprit perturbé. Combien de larmes ont coulé sur les joues de Justina et combien de prières ont jailli de son cœur pour obtenir la guérison de son époux!

Un jour, ressentant un appel intérieur, Justina s'intégra à un groupe de prière. Pendant plus d'un an, elle participa à ces rencontres hebdomadaires dans l'espoir que Dieu entende sa supplication. Elle maudissait intérieurement l'alcool que consommait son mari tout en condamnant ses amis qui l'incitaient à boire. Son âme éplorée rejetait de toutes ses forces cette injustice. Dans une de ces assemblées, elle croisa un couple ayant vécu une situation similaire. Ils lui proposèrent, comme démarche de foi, de bénir chaque goutte d'alcool ingurgitée par son mari plutôt que de maudire sa consommation. Même si cette demande lui paraissait saugrenue, elle s'y appliqua de tout cœur.

Un matin, à travers sa brume épaisse, André remarqua l'épanouissement de sa femme. Intrigué, il décida de se rendre à l'une de ces soirées. Lorsqu'il revint chez lui en fin d'après-midi, Justina était déjà partie. Surpris, il reporta à la semaine suivante son intention de l'accompagner. Là encore, elle quitta la maison plus tôt que prévu. Cette manœuvre inusitée le motiva davantage. Las de jouer au chat et à la souris, il lui fit part de son désir ardent de participer, avec elle à la prochaine réunion. Le cœur ému, Justina ne protesta guère...

Dès le début de la rencontre, les animateurs demandèrent au groupe si une personne désirait recevoir des prières de libération et de guérison. André se proposa; ce qui étonna grandement sa femme. On lui imposa les mains et le miracle se produisit. Son cœur fut transformé. À partir de ce moment-là, il devint sobre et jamais plus il ne reprit une seule goutte d'alcool. Du jour au lendemain, ses amis de la dive bouteille cessèrent de le fréquenter et André retrouva la paix intérieure.

Cette histoire magnifique me fit prendre conscience que le pardon ne représentait pas seulement une prière récitée en vue d'une réconciliation, mais aussi un nouveau mode d'agir et de penser. Le pardon refusait de se laisser duper par les apparences. En misant sur l'amour dans sa relation de couple, Justina cessa d'entretenir des pensées de dégoût et de mépris face à l'alcool. Son amour sincère et sa fidélité indéfectible envers son mari ramenèrent de nouveau l'harmonie au sein du foyer.

Une autre expérience me plongea au cœur du pardon et de sa valeur libératrice. Lors d'une activité dans la région de Québec, le père Claude et moi avons été conviés à choisir trois personnes nous ayant offensés. À tour de rôle, nous avons amorcé une démarche de pardon. Avec humilité, nous nous sommes affranchis des pensées négatives et malsaines entretenues à l'égard de ces gens qui nous avaient blessés, soit par des paroles dures ou des attitudes irrespectueuses. En nous donnant la permission de ressentir les émotions liées à ces incidents malencontreux, nous avons déchargé nos épaules d'un lourd fardeau de souffrances.

Au cours de cette expérience, nous avons constaté notre part de responsabilité dans nos mésententes avec les autres. En fait, nos préjugés et notre orgueil nous empêchaient de saisir les événements dans leur totalité. Nos pulsions mauvaises s'amplifiaient devant nos différends alors que nos conflits, dans certains cas, auraient pu se résoudre par une communication sincère et une grande ouverture de cœur.

Cette démarche du pardon, le récit de Bryan, de même que le témoignage d'André et de Justina me démontrèrent avec force que chaque personne, malgré ses pensées et ses actions guerrières et violentes, peut se transformer en un être bon et pacifique. De plus, je compris que le pardon doit être bien davantage qu'un outil passager; il doit devenir un rendez-vous quotidien avec les autres et nous-même, afin de favoriser le changement de nos pensées malsaines et agressives en des pensées bienveillantes et compréhensives.

«Nous n'allons jamais seul vers le pardon. L'Esprit nous accompagne et nous guide. Avec notre consentement, Il souffle comme une brise légère sur les fondations fragiles de nos discordes et nous aide à construire de nouvelles assises, fermes et inébranlables, de paix et d'harmonie. Les eaux troubles de la peur et du ressentiment, qui noyaient la beauté de notre âme, s'évaporent peu à peu. La fleur d'amour sommeillant en nous peut désormais s'épanouir dans une nouvelle eau limpide et cristalline.»*

Le pardon m'invitait gentiment à déposer mes sacs-poubelles en bordure de route et à me

---

* Marie-Lou et Claude, *Le Pardon, guide pour la guérison de l'âme*, éditions Un monde différent, 2000, pp. 24-25.

détacher du monde illusoire dans lequel j'évoluais. Cette renonciation supposait un passage que je trouvais parfois fort difficile...

6

LA MORT, TRANSITION ULTIME

«Lorsque l'ange de la mort s'approche de nous, une peur immense nous gagne. Lorsque ce même ange nous touche, c'est la béatitude.»

(Adage musulman)

De jour en jour, ma vie se transformait littéralement. Même si je savais que je ne pourrais jamais guérir complètement mes blessures profondes, à la limite, elles ne me troublaient plus autant. L'enfant en moi devenait adulte et choisissait de vivre plus paisiblement, joyeusement et harmonieusement.

Après quatre années de cohabitation, je quittai ma copine Marielle pour aller m'installer avec ma fille dans un petit loyer du quartier Côte-des-Neiges. À la demande du père Claude, j'entrepris de mettre sur papier le récit de ma vie. Tâche pénible car chaque chapitre soulevait en moi des torrents d'émotions que j'avais occultées depuis belle lurette. Je revoyais aussi en pensée tous ces gens que j'avais connus et aimés: Denise, la belle Denise, ma sœur de cœur, François, mon alter ego, mon inséparable copain d'adolescence, Émilie, mon amie de parcours, connue dans un ashram, Paul-Émile, ce très cher complice pour qui j'éprouvais une amitié inconditionnelle et, combien d'autres...

Certains avaient disparu de ma vie, comme ça, du jour au lendemain tandis que d'autres avaient quitté la terre pour aller vivre dans un autre monde. Ces séparations définitives représentaient une très grande souffrance pour moi. En fait, la mort m'effrayait même si elle m'apparaissait, parfois, comme l'ultime délivrance. D'où provenait cette crainte viscérale? Je n'aurais su le dire vraiment. En fait, de nombreux événements de mon enfance contribuèrent sans doute à amplifier mon désarroi devant cette issue inévitable.

À l'école primaire, le décès de mon professeure préférée, madame Beauregard, m'affecta grandement. Cette institutrice venait régulièrement me rencontrer à la maison. Elle avait remarqué les nombreuses ecchymoses sur mes bras et mes jambes et je me suis toujours demandé s'il s'agissait là de la raison de son intérêt pour moi? Son regard rempli de tendresse me faisait rêver de l'avoir pour mère...

Je fus également bouleversée lorsqu'une femme, chez qui j'avais demeuré en famille d'accueil, décéda des suites d'une embolie pulmonaire. Cet après-midi-là, ma sœur jumelle, Linda, se pointa à mon appartement, l'air déconfite. Je sus immédiatement que cette dame avait traversé le voile vers l'au-delà. Dans ce moment d'intensité, toute parole semblait superflue. Ma sœur se confinait dans le silence, alors que moi, j'ingurgitais plus que ma part de valium.

Puis, au moment de mes dix-huit ans, ce fut le décès de «bébé Martin»... Il était si beau, le fils de Denise Hamel. Un petit poupon âgé d'à peine quelques mois, qui gigotait de plaisir dès qu'une personne lui faisait des mamours. Il suscitait la joie de quiconque entrait en contact avec lui. Quant à Denise, de jeune fille fringante avec qui je faisais les cent coups à l'*Institut Belletête*, une école scientifique, elle acquérait peu à peu une maturité «maternelle» qui lui seyait à merveille.

Bébé Martin mourut d'un arrêt respiratoire une nuit de printemps. Encore une fois, j'appris son décès par ma sœur jumelle. Je ne sais trop ce qui me bouleversa le plus: la mort tragique du poupon et l'anéantissement de mon amie ou bien la souffrance à l'état pur de Linda qui demeurait alors chez elle. Étant présente au moment où le bébé âgé d'à peine trois mois passa de vie à trépas, ma sœur fut si traumatisée qu'elle ne s'en remit pour ainsi dire jamais.

Aucun mot de ma part ne semblait traverser le mur d'isolement qu'elle construisit autour de cette souffrance. Elle se blindait contre toute intrusion possible, contre toute souffrance éventuelle. Cet incident désastreux, inscrit de manière indélébile dans sa mémoire, la détourna même de la possibilité d'avoir un enfant...

Quant à moi, ce fut une des dernières fois que je vis Denise. La perte du poupon, la douleur vive de mon amie, et la détresse incommensurable de ma sœur concoururent à tant d'émotions que je me retirai totalement de ce circuit familial pour ne pas souffrir davantage. J'éprouvais une difficulté terrible à vivre et la drogue me donnait le coup de pouce nécessaire pour échapper temporairement à ma propre détresse.

Vingt-trois ans plus tard, grâce à des recherches sur Internet effectuées par Denise, des retrouvailles émouvantes mais combien bénéfiques eurent lieu à sa résidence! Linda, Hélène, Denise et moi-même, les quatre soeurs de «coeur», réunies après tant d'années... autour d'un véritable buffet chinois (bien sûr), dans sa cuisine! Les amis et la famille se joignirent à nous pour célébrer l'événement.

Il y eut au cours des années d'autres deuils qui façonnèrent mon regard sur la vie. À San Francisco, mon ami Bryan avait une philosophie bien à lui au sujet de la vie et de la mort. Il me disait souvent: «Il existe cinq points importants à se rappeler pour bien vivre. Ceux-ci ont été transmis à un médecin californien, le docteur Ira Byock, par une infirmière ou une travailleuse sociale, il y a déjà vingt ans de cela. Je te les offre, ma chère: «Le premier: *je te pardonne*; le deuxième: *pardonne-moi*; le troisième: *merci*; le quatrième: *je t'aime*, et le dernier: *au revoir*.» Bryan ajoutait: «Il existe également cinq points à expérimenter au moment de mourir: ce sont exactement les mêmes!»

Je réalisai que ces recommandations pouvaient se vivre au jour le jour et spiritualiser davantage le quotidien. À mon avis, chacune d'elles exigeait une forme de renoncement. En fait, les *«je me pardonne et je te pardonne»* m'incitaient à l'abandon du ressentiment, de la rancune, de la culpabilité et de la honte. Le *«merci»* délogeait ma suffisance au profit de l'humilité et de la reconnaissance. Le *«je t'aime»* troquait toute forme de narcissisme et d'égoïsme contre l'altruisme et la bienveillance et *«l'au revoir»* fermait une route pour en ouvrir une autre.

Mon vieux sage me parlait souvent de renoncement. Rompre le lien avec tout attachement malsain correspondait, pour lui, à l'exercice fondamental auquel tout être humain était appelé à participer. S'y refuser contribuait à propager la peur, les pulsions destructives, les violences et les guerres. Pour Bryan, la mort ne représentait pas une fin en soi mais une continuité, une transformation constante, une expansion infinie. Chaque petit renoncement concourait à une guérison intérieure, à une libération nous préparant graduellement au passage sacré de la vie à une autre existence.

«Renoncer» ne signifiait pas tout sacrifier mais bien prendre conscience d'une situation et lâcher prise! Je le compris véritablement, lorsqu'une nuit, je dus conduire ma fille à l'urgence de l'hôpital. Diane se réveilla en grande détresse, incapable de recouvrer son souffle. Devant sa difficulté respiratoire, une panique indescriptible s'empara de moi. Pendant que je tenais d'une main le téléphone, en ligne directe avec le 911, de l'autre, je tapais dans le dos de ma fille afin de dégager ses poumons. Mon cœur battait si vite et si fort que j'en tremblais violemment. J'étais dans tous mes états. À l'arrivée des ambulanciers, j'avais l'air aussi mal en point que mon enfant!

Une heure plus tard, assise dans une petite chambre d'hôpital, je révisai cet événement angoissant tandis que ma fillette, épuisée par le manque de sommeil, dormait dans mes bras. Enfin tranquillisée, je me culpabilisais devant mon peu d'efficacité en situation d'urgence. Pour peu que je m'ouvre les yeux, cet épisode malencontreux m'invitait à voir et à réagir autrement. Il m'encourageait à saisir l'authentique message derrière ma peur, pour ensuite lâcher prise. En envisageant le pire pour Diane, j'avais voyagé dans le futur, à une vitesse vertigineuse, au lieu de vivre le moment présent dans le calme et la confiance. Certes, ce présent s'avérait préoccupant pour moi, mais ma panique, conjuguée à celle de ma fille, n'avait fait qu'envenimer le malaise.

En réalité, la seule pensée de perdre mon enfant bien-aimée avait réveillé ma propre peur du trépas. À plusieurs reprises, la mort m'avait privée de la présence et de l'affection de personnes chères. Perplexe devant ces disparitions subites, je m'étais questionnée quant à la véritable nature de mon itinéraire terrestre. Qu'était donc cette mort qui, comme un mauvais sort, frappait et fauchait mes proches à un moment inopportun? Depuis toujours, cette fatalité représentait l'épée de Damoclès suspendue au-dessus de ma tête. La vie et la mort se croisaient dans un va-et-vient perpétuel et conditionnaient mon existence.

La mort, par son caractère inévitable, ressemblait à une compagne fidèle me suivant partout. Étrangement, ma vie de tous les jours camouflait bien mon angoisse existentielle. Sans me préoccuper outre mesure de cette force omniprésente que représentait la mort, je poursuivais ma route, tentant même de l'ignorer au détour d'une conversation. Je me croyais invincible alors qu'inconsciemment, je cherchais à la vaincre! La regarder et l'accepter comme une réalité inéluctable m'aurait sans doute permis de libérer mon appréhension.

Ce soir-là, alors que les infirmières offraient les premiers soins à Diane, je vis la mort rôder dans les couloirs, narguant les accidentés et les malades. En un éclair, une forme de compréhension vit le jour dans mon esprit. Accueillir la mort et la faire mienne, voilà qui transcendait le pouvoir destructeur que je lui conférais. En ne la concevant plus comme une ennemie mais comme une alliée, en l'appréciant au même titre que la vie, je lui enlevais son ascendant négatif sur moi. La mort ne représentait plus un anéantissement mais une force de croissance avec laquelle je pouvais évoluer. Lorsque j'acceptai de la considérer comme une amie, je sentis qu'elle se fusionnait à la vie.

De toute façon, je ne pouvais ignorer la mort. Elle me côtoyait partout. Elle prenait le métro, traversait la rue, s'épanchait dans les journaux, roulait avec moi sur la route et se cachait dans mille et un petits renoncements. Elle remplissait mon quotidien et me talonnait à chaque instant.

Tout, dans la nature, me parlait de la vie et de la mort. La rose naissait et, dès lors, au cœur même de sa croissance et de son épanouissement, elle commençait à mourir; le jour, en un mouvement perpétuel, cédait la place à la nuit parsemée d'étoiles; les arbres, devant les premiers frissons de l'automne, abandonnaient leur feuillage verdoyant pour s'empourprer allègrement; l'hiver, traînant derrière lui sa longue cape de neige et de froidure, s'éclipsait pour laisser fleurir le printemps au visage de renaissance, etc.

Ce rythme continu ne différait guère de celui de l'être humain. Chaque changement, chaque métamorphose, chaque transformation physique, émotionnelle, spirituelle équivalait à une petite mort le conduisant à une régénération, une saison nouvelle de l'âme.

Un événement singulier me donna une conscience encore plus aiguë de la mort. Je campais dans un ashram situé au sommet d'une montagne. Chaque personne présente disposait d'un emplacement précis où dresser sa tente. Mon site se trouvait à l'écart, dans un sous-bois. Cette distance me rendait craintive, car la nuit, au cœur du silence, s'élevaient les murmures insolites de la forêt. Je ne pouvais guère tolérer la présence d'animaux sauvages autour de mes quartiers et encore moins imaginer leur intrusion dans mon abri fragile.

À la brunante, je m'engouffrais hâtivement dans mon havre de sécurité, refermant la toile avec un soin aussi méticuleux que ne l'aurait fait un combattant avec son armure, un plongeur avec son scaphandre. Pas question de laisser, ne serait-ce qu'un millimètre d'espace, pour l'invasion de petites bestioles effrontées voulant s'offrir un gîte en ma compagnie!

Un soir, le beau temps déserta le ciel. Les arbres, élevés en flèche vers le firmament, se mirent à plier l'échine sous les puissantes bourrasques de vent. De sombres nuages s'accrochèrent au faîte de la montagne et le tonnerre, dans un vrombissement épouvantable, ouvrit la fanfare. Aussitôt, un torrent de pluie se déversa sur la région tandis que les éclairs griffaient le ciel devenu couleur d'encre noire. Un éclair frappa le sol et passa sous mon mince abri de tissu. Une terreur démesurée m'envahit à la pensée que la terre puisse s'affaisser sous mes pieds et ma tente prendre feu. J'essayai de mettre mes bottes, mais en vain. Je crus ma dernière heure arrivée. Ce qui me fit frémir encore davantage.

La lueur d'une lampe de poche scintilla dans la nuit. Quelqu'un se dirigeait vers mon campement. Monique, ma fidèle amie, avait pressenti mon désarroi, elle-même secouée par les colères de Dame Nature. Sous le vacarme infernal du tonnerre, son agitation se comparait à la mienne Je la fis entrer non sans vérifier auparavant la solidité de la terre autour de ma tente. Il m'importait de savoir si nous étions en sécurité dans notre refuge.

Dans l'obscurité de ma tanière et sous le cliquetis de la pluie battante, nous tentions mutuellement de nous rassurer. La nuit s'avéra longue et pénible. Au petit matin, à ma grande surprise, la majorité des gens de l'ashram n'avait pas eu connaissance du terrible orage de la nuit. Les campeurs avaient dormi en toute quiétude dans les bras de Morphée! J'en étais stupéfiée!

Cet incident me fit réaliser qu'en dissociant la mort de sa fidèle compagne, la vie, je lui avais donné une forme destructrice. J'avais sombré dans l'angoisse et la peur. En m'harmonisant avec le vent, la pluie, le tonnerre, le tremblement de terre, les éclairs, je les aurais tout simplement accueillis comme des éléments inhérents à la nature. Sans plus!

Cette prise de conscience ne signifiait pas la négation de dangers possibles. Au contraire, la vigilance demeurait toujours de mise, pour ne pas dire essentielle, dans chaque situation précaire. Par contre, plus question d'inviter les scénarios négatifs à venir me tourmenter en grossissant les événements de manière démesurée, disproportionnée!

J'en tirai également une grande leçon de vie: dans ce processus perpétuel de la vie et de la mort, si mon mental se rebiffait devant la loi inéluctable du changement, je me créais tôt ou tard des souffrances inutiles. Changer d'école, de quartier, d'emploi, de mari, de pays, etc., représentait la fin d'une étape. Tout mourait et renaissait différemment dans un éternel recommencement. Si je m'opposais, me cambrais et regimbais devant ces transitions, je me construisais une prison, un état émotionnel instable provoquant l'angoisse, la déception et le chagrin.

Ce qui ne favorisait nullement la guérison de mon être!

Malheureusement, chacun de mes petits «passages» entraînait d'énormes souffrances car les souvenirs des séparations et des départs déchirants, inscrits de manière impérissable dans ma mémoire, ternissaient mon rapport avec la réalité. Toute forme de transition représentait pour moi une mort éventuelle: donc, à fuir à tout prix!

Languissant dans cette souffrance du cœur et de l'esprit, j'empêchais le courant harmonieux de la paix de circuler dans mes veines. En voulant figer la vie, ce qui s'avère impossible, je cherchais à ne pas me confronter à la mort afin de conserver mes attaches et mes dépendances. Je m'accrochais littéralement à mes repères et mes habitudes.

Un jour, dans un moment de volte-face, j'ai décroché. J'ai quitté ma ville, mes amis, ma langue maternelle, pour aller m'établir ailleurs. Ce fut le début d'une lente et magnifique réalisation: l'attachement, quel qu'il soit, tue la liberté; il supprime la vie en soi. Croyant fermement que mon bonheur était tributaire de la présence ou de l'absence d'une personne aimée ou encore de l'existence de telle condition extérieure, ma vie émotionnelle se construisait dans la résistance et sous le chapiteau des fausses croyances. J'étais une morte ambulante, craignant la mort comme la peste... Je demeurais inapte à vivre pleinement et sans réserve!

Avec le temps, je repris confiance en moi et me fortifiai davantage. Mes blocages face à la mort s'amenuisèrent. Je me permettais de mieux découvrir les beautés de la vie. J'observais les arbres, les fleurs, les montagnes; j'écoutais le bruit des vagues, le rire des enfants, le battement d'ailes d'un oiseau; je considérais différemment la souffrance, la peur, l'erreur... Certes, la vie physique avait un terme et, un jour, le mot «fin» s'y inscrirait en lettres d'or. Mais en attendant, quel sacrilège de ne pas vivre intensément chaque seconde en relevant, un à un, les défis proposés!

Une autre expérience bouleversante m'aida à envisager la mort sous un angle différent. Attention, lecteurs! Cette histoire véridique demande une certaine ouverture d'esprit vis-à-vis une forme de communication différente de celle vécue au quotidien. L'important ne consiste pas à y apposer ou non une approbation. Cela ne changera en rien la réalité. Il s'agit d'accueillir cet épisode de ma vie avec les yeux du cœur et dans le non-jugement. Sans prétention, je vous livre ce souvenir tel qu'il est arrivé, sans censure ni désir de le transformer pour être dans la «norme» et le «convenable». Alors, si vous le voulez bien, je vous le raconte...

À l'ashram où j'avais vécu l'incident du violent orage, je rencontrai la belle Émilie, originaire de l'Estrie. En raison de notre amour réciproque pour la nature, nous nous étions rapidement liées d'amitié. Nous avions toutes deux vingt et un ans et la vie devant nous. Ravissante et aimable, elle charmait tout le monde par sa finesse et sa grandeur d'esprit. Nous passions beaucoup de temps ensemble à marcher dans la forêt, à rire et à badiner. Puis, redevenues sérieuses, nous philosophions et méditions sur la vie. Avec le temps, une belle complicité s'établit entre nous, même si nous demeurions loin l'une de l'autre.

Un jour, de passage à Montréal, Émilie m'invita à une fête. Je ne l'avais pas revue depuis trois mois. Ce qui était fort inusité. Ce soir-là, mon amie semblait complètement désemparée et perdue. Une étrange tristesse flottait sur ses traits amaigris et elle offrait une image si pathétique que j'en fus troublée. Son mutisme et son attitude douloureuse me laissaient croire qu'un événement malheureux s'était produit dans sa vie, l'avait bouleversée même! Fermée comme une huître, il m'était impossible de percer son mystère! Après la soirée, je la quittai, une sourde angoisse au fond du cœur. Qu'était donc devenue Émilie?

Une semaine plus tard, je vis sa photo étalée en deuxième page du *Journal de Montréal*. Belle comme le jour, je souris intérieurement en me disant: «Tiens! Tiens! On veut faire d'elle une vedette!» Le téléphone sonna au bureau. Au moment où je décrochai l'appareil, mes yeux tombèrent sur l'en-tête de l'article: «Assassinat en Estrie.»

Mon cœur ne fit qu'un tour. Je raccrochai sans même parler à l'interlocuteur. Je restai là, glacée, pétrifiée par la nouvelle. Non! Non! Impossible! Il devait y avoir une erreur! Je lus avec horreur le texte racontant l'histoire macabre de sa mort. Émilie, mon amie, avait été assassinée! Je m'effondrai en larmes sur ma table de travail ...

Pendant des jours, je cherchai frénétiquement dans ma mémoire des indices pouvant m'aider à comprendre cette tragédie. Le corps d'Émilie avait été retrouvé dans un fossé, tout près du lieu où elle résidait. Quelqu'un l'avait battue à mort. La police soupçonnait une histoire de drogue. La connaissant fort bien, je réfutais cette hypothèse même si son comportement à notre dernière rencontre se révélait fort étrange. Mais qu'est-ce que cela prouvait finalement?

Je mis beaucoup de temps à accepter le départ brutal de ma copine. Durant les mois suivant cette triste nouvelle, je me traînais, l'âme en peine, incapable de vivre normalement. Une nuit, j'eus la nette impression de l'entendre me parler. Je l'incitai à partir, éprouvant une peur terrible des fantômes. Mais elle revint régulièrement à l'improviste. Parfois, au volant de ma voiture, je l'entendais pleurer et gémir à mon oreille. S'agissait-il vraiment d'Émilie ou de mon imagination perturbée qui me jouait un mauvais tour?

Un soir, je fis un rêve épouvantable. Introduite dans le corps d'Émilie, je revécus, dans ses moindres détails, l'agonie précédant sa mort. Avec elle, je ressentis l'instant même où elle préféra abandonner la lutte. Je mourais dans la souffrance et la solitude la plus totale alors que mon être entier se vidait de son souffle vital. Je me réveillai, haletante, complètement ébranlée et bouleversée. Ce rêve si proche de la réalité me troubla longtemps.

L'image d'Émilie ne cessait de me poursuivre. Avait-elle un message important à me communiquer? Une nuit, alors qu'elle frappait de nouveau à la porte de ma conscience, j'abdiquai en me disant: «Cette situation ne peut plus continuer! Je dois réagir, sinon je mets en péril ma santé mentale.» Je compris que la seule façon de me libérer de son emprise consistait à la laisser parler. Ce soir-là, je lui ouvris mon cœur. Aussitôt, je l'entendis me dire:

«J'ai peur! Je panique. Je ne retrouve plus mon corps.

– Mais tu es morte, Émilie!» répondis-je, déconcertée.

– Je ne suis pas morte, je suis perdue», rétorqua-t-elle d'une voix chevrotante. «Je veux récupérer mon corps!»

Ma copine refusait d'admettre son départ de la terre. J'avais l'impression de lui annoncer la triste nouvelle.

«Est-ce que je reviendrai un jour?» s'enquit-elle, désemparée, comme si elle prenait soudain conscience de la situation.

– Non! Émilie, tu ne reviendras pas», répliquai-je tristement, sachant bien que cette réponse ne contribuerait sûrement pas à la réconforter. Mais que dire de plus? Émilie demeurait hantée par le désir de retrouver son corps. Sans doute inspirée, je lui demandai:

«Peux-tu regarder vers le haut?

– Oui, car là où je me trouve, il y a un axe vertical.»

Puis, elle émit un drôle de son avant de me préciser qu'elle voyait une lumière.

«Dirige-toi vers elle», lui dis-je, d'un ton se voulant enthousiaste.

Émilie refusa net, essayant de me convaincre qu'il existait, sans aucun doute, un autre moyen de regagner son corps. Elle s'obstinait à ignorer sa mort croyant plutôt vivre un terrible cauchemar. Mon amie prétendait même s'être endormie la veille alors, qu'en réalité, elle avait quitté ce monde depuis longtemps. Je l'appelai par son petit surnom affectueux:

«Lilie! Ma belle Lilie, cela fait des mois que tu viens me rendre visite. Comment peux-tu être morte hier?»

Elle ne semblait pas comprendre.

«Regarde la lumière encore une fois et essaie de t'en approcher, juste pour voir.»

Elle acquiesça à ma demande. Tout à coup, elle déclara d'une voix méconnaissable:

«On dirait que je n'ai plus envie de revenir sur la terre. Je suis attirée comme un aimant par cette lumière. Oh zut! Je suis vraiment morte...»

La peur soudaine de la perdre de nouveau me fit crier:

«Émilie! Émilie!»

Mon amie, qui semblait s'être éloignée quelque peu, revint immédiatement vers moi. Elle reprit d'un ton où l'angoisse avait disparu:

«Je dois partir maintenant. Depuis que je vois la lumière, je ne peux plus demeurer là où je suis. Merci, mon amie!»

Puis, elle me quitta sur ces mots:

«On se reverra, Marie-Lou! On se reverra!»

Puis, plus rien! Je pleurai longtemps son départ. Émilie ne rappliqua jamais par la suite. Je le regrettai sincèrement même si je savais que cette issue était la meilleure pour nous deux. Après de longs mois de souffrances, je fis enfin mon deuil.

Cet épisode peu commun m'aida à comprendre que la mort, par son caractère inéluctable, représentait une transformation, une forme de vie nouvelle, inconnue de tous. La vie après la mort existait réellement. Je ne pouvais plus en douter.

Le père Claude m'aida à retrouver la paix intérieure face à cette situation en me précisant:

«Lorsque la mort nous visite et nous prend au dépourvu, elle provoque une déchirure dont nous ne comprenons pas le pourquoi. Malgré les découvertes extraordinaires de la science médicale, le problème de la mort demeure mystérieux et ne nous apporte pas toujours des réponses satisfaisantes. De plus, aucune parole humaine ne peut apporter de solutions à nos interrogations sur le trépas, sinon celles qui sont tirées de la sagesse des temps.

«Beaucoup de ces mots nous incitent à porter un regard neuf sur cette réalité inéluctable. Entre autres, les paroles magnifiques d'André Sève: «Comment bien mourir? En ne se trompant pas de regard. Ce n'est pas le moment de revenir sur notre vie, mais de jeter vers Dieu des yeux d'amour.» En regardant vers la Lumière, Émilie a traversé le voile la menant vers une autre existence. Nous pouvons choisir de nous unir à cette Flamme éternelle ou bien décider de l'éviter.»

Je l'interrogeai sur les tourments de l'âme:

«Que pensez-vous de la souffrance? Pourquoi toutes ces épreuves pour finalement mourir?

– Marie-Lou, nos difficultés et nos misères sont les chemins, les tunnels à traverser pour parvenir à la Lumière. Un jour ou l'autre, nous sommes appelés à réfléchir sur le mystère de la souffrance qui libère, fait grandir et divinise. En acceptant la mort comme un changement, une métamorphose, un passage vers une vie nouvelle et plus parfaite, nous nous libérons de nos fausses croyances. Lorsque des êtres chers, atteints d'une maladie incurable, nous disent: "J'ai hâte que ce soit fini!", cela ne veut pas dire qu'ils ne nous aiment plus. Ils ressentent, au fond d'eux-mêmes, un appel à se diriger au-delà de tout ce qui est humain.

«Un passage du livre de la Sagesse peut t'aider à comprendre ta réaction devant la mort: "Leur départ de ce monde a passé pour un malheur, on les croyait anéantis alors qu'ils sont dans la paix." La mort ne représente pas une diminution de vie, mais une croissance de l'être et une participation à la vie surabondante de Dieu. Certes, elle est une épreuve; cependant, elle est surtout, pour ceux et celles qui croient en l'Amour, un passage à une autre vie, plus belle et plus sublime. La mort nous libère de nos souffrances et de nos misères pour nous permettre d'accéder à la liberté totale, la joie parfaite et l'amour sans bornes.»

Je comprenais très bien les propos de ce bon père. Pourtant, la présence physique d'Émilie me manquait terriblement. Un trou béant s'était creusé en moi à la suite de son décès tout comme après la mort de mon grand ami Paul-Émile et d'autres personnes proches de moi. Le père Claude me rassura en ajoutant:

«L'amour véritable entre les personnes qui partent et celles qui restent ne saurait s'éteindre; un lien mystérieux les unit. On croit que la mort est une absence alors qu'elle est une présence secrète. On pense qu'elle crée une infinie distance alors qu'elle supprime toute distance. On la soupçonne même de créer l'abandon alors qu'en fait, elle nous assure une perpétuelle et mystérieuse protection. La mort représente un pas en avant et non une fin en soi. La personne qui décède continue sa route; elle a seulement tourné la page sur une partie de sa vie. En résumé, mourir demeure un passage important qui unit deux états: la vie et la mort. Elle ne les éloigne pas! Au contraire, elle les rapproche.»

Les paroles du père Claude me firent du bien. Accepter la solitude profonde que la mort suscitait en moi, vivre l'adieu nécessaire tout en remerciant la vie pour chaque instant passé en la compagnie d'Émilie ou d'autres amis maintenant décédés, tout cela m'aidait à reconquérir ma liberté et à vivre chaque instant précieux qui m'était offert. Je réalisais alors que je n'étais pas séparée de ceux qui m'avaient quittée. Un véritable lien invisible nous unissait, par-delà les frontières du temps. Quelle leçon de vie... et de mort!

7

L'AMOUR

«La seule vérité, c'est de s'aimer. S'aimer les uns les autres, s'aimer tous. Non pas à des heures fixes, mais toute la vie!»

(Raoul Follereau)

Les prises de conscience nombreuses avaient rendu mon parcours de plus en plus praticable. Je devenais moins perméable aux événements extérieurs et je me faisais davantage confiance. J'avais découvert mes propres montagnes «népalaises» intérieures et j'escaladais avec une confiance décuplée les différentes parois que les événements de la vie m'offraient pour évoluer, pour m'éveiller. Parfois, les surplombs de la peur ralentissaient mon ascension mais toujours, je fixais le sommet de la montagne. Un jour, le drapeau de ma victoire flotterait sur sa cime et je pourrais alors revenir enseigner à quiconque voudrait l'entendre, les découvertes faites tout au long de mon *périple vers la paix intérieure, sur le chemin de l'amour.*

Bien sûr il me restait bien des kilomètres à parcourir, bien des notions à comprendre et à appliquer dans ma vie pour atteindre mon but. Entre autres, vivre le moment présent, apprendre à me détendre, cesser de vouloir tout contrôler et surtout, réapprendre la véritable signification du mot amour.

Lorsque je vivais chez mon ami Bryan à San Francisco, je rencontrais régulièrement un bel homme d'un certain âge, Jake, intervenant dans un centre pour enfants en phase terminale de cancer. J'aimais bien cette personne dynamique, souriante, toujours prête à secourir quiconque vivait des tourments de l'âme. À tout instant de la journée, il me demandait, les yeux brillants: «T'ai-je dit aujourd'hui que je t'aime?»

Les premières fois, je ne m'objectais pas, trouvant la situation plutôt agréable. Mais au bout du cinquantième rappel, je lui répondais un peu exaspérée: «Serait-il possible de m'aimer autrement? Je pense que tu abuses de l'amour.» Il me répondait: «On n'abuse jamais de l'amour, mais de la forme. Sans doute, ai-je une manière maladroite de te le manifester. Je vais t'exprimer mon amour autrement. D'accord?»

Devant ma petite rébellion, Jake ne se sentit guère frustré. Au contraire, il me lançait à cœur de jour des sourires radieux... empreints d'amour. En portant attention à ce sentiment dans ma vie quotidienne, je compris que l'amour s'exprimait de manière fort différente d'une personne à l'autre, qu'il s'agisse d'un enfant, d'un père, d'une mère, d'un ami, d'un voisin, d'un professeur ou d'un étranger. Il en était de même pour les personnes possédant des opinions personnelles, un cheminement spécifique, ou encore des croyances religieuses divergentes. Toutefois, l'amour véritable demeurait toujours identique: une étincelle divine tissée à même chacune de leurs cellules.

Ma définition d'une saine relation se révélait fort simple: «Tu m'aimes, je t'aime.» Si ce mandat implicite n'était pas respecté, je fuyais dans la séparation. De plus, mon scénario sentimental comportait toujours les mêmes enchaînements: la rencontre, le désenchantement et la séparation. Dans un premier temps, il y avait la rencontre. Cette période me laissait croire à un bonheur fusionnel à perpétuité avec l'autre. Il s'agissait d'une véritable phase de félicité et d'allégresse où mon âme esseulée en rencontrait une autre aussi solitaire que la mienne. Le bleu devenait plus bleu, le rose plus rose, les feuilles plus vertes, le ciel plus clair, l'eau plus limpide.

Puis, apparaissaient immanquablement le désenchantement et la douleur. Mon partenaire était moins beau, moins fin, moins attirant, bref: il devenait l'antithèse de celui que j'avais rencontré au départ. Je ne réalisais pas que j'entrais en relation dans le dessein de me rechercher à travers l'autre. Et qu'au même instant j'élaborais le mensonge amoureux! Le quotidien avec ces demandes incessantes: travail, loisir, argent, maison, compétition, etc., accordait une place prépondérante aux soucis et aux conflits confinant ainsi la relation dans le moule fermé de l'habitude. Finalement, tôt ou tard, survenait la séparation. Ne pouvant plus souffrir la solitude et la disharmonie au cœur de mon couple, je mettais un terme à notre engagement, à ce mensonge malsain, vérité criante de nos fausses assises.

Le père Claude me dit un jour:

«Marie-Lou, l'amour humain prend naissance dans le cœur de l'homme grâce à une chimie réciproque entre deux personnes. Ce sentiment peut durer jusqu'à ce que la mort sépare le couple ou se terminer au bout de quelque temps seulement. Cet amour est habituellement soutenu par la peur de «perdre» son conjoint ou tout autre personne. Puisque la présence d'un partenaire le sécurise, l'amoureux met en action toute une panoplie de jeux allant de la séduction à l'envie, de la manipulation à la menace, de la haine à la destruction, et tout cela, dans le but de ne pas perdre ce qu'il croit être «son» acquis. Cette liaison est douloureuse car elle ne repose sur aucune assise solide.

«Cet amour engendre souvent le sentiment de jalousie qui s'élabore encore là sur la notion de "perte", de "compétition" et de "mensonge". L'être humain a peur de perdre ce qu'il croit posséder, ou encore il craint de ne pas avoir ce que l'autre semble posséder en avantage. Il est également effrayé à l'idée d'être délaissé par son partenaire au profit d'une personne plus belle, plus intelligente. Parle-t-on d'amour ici? Bien sûr que non! Le véritable amour est la communion de l'âme avec Dieu, et ensuite son prolongement vers une personne. Cette communion entre deux êtres survient dans le cadre d'une union spirituelle ou de manière tout à fait fortuite et gratuite.»

Je savais pertinemment que le père Claude disait vrai. Ce partage merveilleux entre deux êtres pouvait survenir de manière fort spontanée, et même avec un parfait inconnu. Lorsque je vivais à Vancouver, ma vie amoureuse avec mon ami Donald devint difficile et astreignante. J'hésitais à rompre une relation de quatre ans devenue opprimante et malsaine. Mon seul réconfort dans les moments difficiles: aller respirer l'air salin de l'océan Pacifique et marcher pieds nus sur ses rives. La nature, belle et généreuse, avait quelque chose de magique et de réconfortant.

Un jour, pour une peccadille, l'orage éclata entre mon conjoint et moi. Toute tremblante d'émotions, je me réfugiai près de la mer, mon havre de paix. Sur la rive, je pris de profondes respirations, tentant de calmer les rouages de mon esprit agité. Je m'installai sur un banc pour admirer le merveilleux coucher de soleil qui embrasait la baie. Les piétons et les cyclistes s'arrêtaient, subjugués devant cette délicate attention de la nature.

Un inconnu en fauteuil roulant s'arrêta à mes côtés. Il me regardait avec tant de bonté et de douceur que j'en fus bouleversée. Jamais je n'avais vu un visage aussi rayonnant de beauté et de lumière intérieures. Était-ce l'effet du ciel orangé derrière lui qui le rendait si beau? On aurait dit un halo immense, couvrant tout ce qui l'entourait et même au-delà. Je crus à une apparition. Pourtant, il était bien là, en chair et en os, s'installant à mes côtés. Sans préambule, il me dit:

«Vous êtes le plus beau coucher de soleil qu'il m'ait été donné de voir.»

Après une longue pause, il ajouta:

«Savez-vous pourquoi?»

Muette de stupéfaction, je le dévisageai, éberluée. Comme approche, c'était tout à fait nouveau. Habituellement, les hommes jouaient davantage du muscle que de la poésie! Sans s'opposer à mon silence, il reprit avec gentillesse:

«Vous êtes le plus beau coucher de soleil parce que vos yeux ont le reflet de cette splendeur. Et pour moi, c'est de la joie à l'état pur!»

De la joie! Je n'ai pas compris ce qu'il avait vu dans mes yeux. Chose certaine, ses paroles positives, empreintes de simplicité et d'amour, firent jaillir l'allégresse de mon cœur. Durant cet instant magique passé ensemble, à contempler en silence le merveilleux coucher de soleil, je sentis que, même sans nous connaître, nous étions tous deux plongés dans une grande communion de cœur, d'âme et d'esprit. Lorsque finalement le ciel étendit sa large couverture de nuit au-dessus de nous, il me regarda droit dans les yeux. Après un certain temps qui me parut une éternité, il murmura:

«I love you.»

Il partit aussi lentement qu'il était arrivé. Pas de nom, pas de numéro de téléphone. Rien! Sauf cette sensation indescriptible d'avoir, l'espace d'un instant, épousé l'essence d'un parfait inconnu. Ce fut une rencontre mémorable. Subjuguée par cet étrange amoureux des couchers de soleil, je revins plusieurs fois au même endroit, dans l'espoir de le rencontrer de nouveau. Mais je ne le revis jamais.

Quelques années plus tard, une expérience similaire se déroula à San Francisco, aux États-Unis, à l'occasion de vacances chez mon ami Bryan. Je reçus un télégramme de mon futur mari, Gaétan, m'annonçant l'annulation de notre projet de mariage. Il avait fait sa demande à une autre femme! Une douleur atroce me cloua sur place. Je ne pouvais croire à une nouvelle aussi bouleversante et traumatisante. Comme une automate, je sortis de la maison pour arpenter les rues de la ville. Chaque inspiration me faisait l'effet d'une brûlure. Mon cœur était dévasté.

Au tournant d'une rue, je fus attirée par une foire de livres et d'objets hétéroclites. Entrant dans ce lieu étrange, je levai instinctivement la tête et croisai le regard d'un homme qui se tenait en haut d'un escalier, guitare en main. Il me fit signe de le rejoindre. Sans préambule, il me joua une superbe chanson: *Hard time will be gone when the love shines through...* Sa musique, ses paroles et sa voix touchaient chacune des fibres de mon être. Je me sentais en grande harmonie de cœur et d'esprit avec cet inconnu. Nos yeux ne se quittaient plus. Au terme de sa chanson, nous sommes demeurés là, muets, sans bouger. Un courant d'amour surnaturel circulait entre nous. Quand le charme fut brisé par l'arrivée d'autres personnes, il me remit la cassette audio de son dernier album et, avec un certain regret, je le quittai pour poursuivre ma route.

Le guitariste et moi avions atteint un niveau de communication très pur et très rare. Ce jour-là, je pris conscience qu'en abolissant la frontière physique, la véritable communion entre deux êtres pouvait prendre place. Nos deux âmes s'unissaient, s'harmonisaient l'espace d'un instant, sans aucun jugement, mensonge ni chantage affectif. Quel cadeau de la vie! Voilà que mon mariage tombait à l'eau et aussitôt, mon âme convolait avec celle d'une autre personne, en une union limpide et cristalline!

Je demandai au père Claude quelle était, selon lui, la différence entre l'amour humain et l'amour spirituel. Il demeura silencieux quelques instants avant de répondre:

«D'abord, il faut comprendre que l'amour humain est conditionnel. Tu te rappelles ton fameux: "Je t'aime si tu m'aimes! Je suis ton amie si tu es mon ami." Évidemment, ces demandes sont implicites. Elles ne sont pas formulées verbalement même si elles sont présentes. Et c'est normal. Qui accepterait de vivre une relation amoureuse tout en sachant que l'autre ne l'aime pas?

«Pourtant, l'amour humain, pour se spiritualiser, devrait en arriver au stade où le partenaire pourra dire uniquement: "Je t'aime." Pas d'attentes ni d'attaches, ou encore de demandes ou de besoins non résolus à combler! Rien d'autre que l'amour généreux et altruiste! Exceptionnels et remarquables sont les individus qui parviennent à ce niveau. Toutefois, avec persévérance, chaque petit pas peut nous conduire vers ce but.

«La distinction entre l'amour humain et l'amour spirituel réside aussi dans le fait que ce dernier se cantonne rarement dans la relation sexuelle. L'intimité étant moins grande au plan physique, une relation bien différente se dessine à un plan plus subtil. L'amour humain implique ordinairement un contrat non verbal laissant sous-entendre que l'autre doit correspondre aux aspirations du partenaire, ou du moins, s'en rapprocher, sinon, c'est la rupture, la séparation.

Le conjoint se crée alors un personnage pour satisfaire aux attentes de l'autre. Arrive le moment où ce ne sont plus deux êtres humains qui partagent un amour mais deux images construites au fil du temps.

– Mais, comment contourner cette illusion?

– Dans un premier temps, il faut comprendre qu'il importe pour tout être humain de combler ses besoins primaires. Nous ne sommes pas des robots fonctionnant seulement à l'essence spirituelle. Nous avons un corps, des émotions et des sentiments dont nous devons nous occuper. Il est donc essentiel d'entreprendre un cheminement de croissance personnelle pour guérir nos blessures. Nous apprenons alors à devenir plus autonome en ce qui a trait à nos exigences fondamentales. Les projections et les demandes envers l'autre deviennent beaucoup moins importantes.

«Ensuite, notre responsabilité personnelle consiste à spiritualiser cet amour, c'est-à-dire à lui donner un élan vers des hauteurs insoupçonnées. Pour réaliser ce projet, il importe de transformer, de transmuer toute habitude figée dans l'avoir au profit de l'être et de son intériorité.

– Et l'amour mystique dans tout cela», demandais-je curieuse?

– L'amour mystique représente ce que chacun d'entre nous devrait vivre de manière ultime. Il s'agit d'une réponse amoureuse, fusionnelle à ce Dieu Amour qui nous invite au don de soi-même et au dépassement. Si chaque personne vivait une telle union, la terre se transformerait en une véritable boule d'Amour.

«Mais soyons réalistes. Notre planète accueillera toujours des personnes différentes avec des désirs différents: riches et pauvres, bien portantes et malades, ignorantes et sages, rationnelles et mystiques. L'important consiste à nous améliorer, à nous métamorphoser intérieurement et, peu à peu, l'humanité se transformera en un brasier d'amour.

– Comment définissez-vous la voie mystique?

– Hum! Ce sujet est délicat car il existe plusieurs courants mystiques. Disons simplement que l'amour mystique n'est pas de l'amour humain se voulant spirituel. Il n'est pas non plus de l'amour strictement spirituel. Il est au-delà de toute explication verbale. Il est une expérience de Dieu. L'amour mystique brille à travers les ténèbres, non pas pour lui-même, mais pour le rayonnement de l'Amour.

«Il existe une différence notable entre l'amour humain, l'amour spirituel et l'amour mystique.

L'amour humain est illusoire et passager, l'amour spirituel est évolutif et purificateur, et l'amour mystique est présence et communion à Dieu. Les effluves de ce dernier se communiquent ultérieurement à toute personne croisée sur son chemin. L'amour mystique va au-delà de l'amour humain et spirituel. Il est la fusion parfaite avec l'Être suprême, l'enchâssement total du cœur, de l'âme et de l'esprit en Dieu.

«Entreprendre un cheminement sur la voie mystique c'est prendre un risque. Celui de tout abandonner pour faire route, en cavalier seul, sur une voie peu fréquentée. Il arrive parfois qu'un partenaire fasse partie du même voyage. Cet amour mystique n'a rien en commun avec l'amour humain. Il ne provient pas des émotions ou de besoins d'ordre personnel. Il ne se tourne pas vers lui-même dans une recherche de complaisance en vue d'un petit nid d'amour douillet. Au contraire, il s'ouvre totalement à l'autre, dans une adhésion et un don toujours plus grands à Dieu. En ce sens, il est inclusif et non exclusif. Il existe pour offrir à l'humanité la vision de l'Amour, réel et authentique, sans frontière.

– Pourquoi parle-t-on de couple mystique s'il s'agit, en réalité, de la fusion d'une personne à Dieu?

– On dit "couple", dans le langage humain comme point de référence pour nous aider à comprendre. Mais en fait, les deux membres de cette union évoluent de manière individuelle et distinctive. Ils manœuvrent au-delà de l'amour humain et spirituel pour vivre l'union à Dieu. À la longue, le couple mystique devient un véritable témoin de l'Amour. On ne choisit pas l'âme mystique accompagnatrice. Elle est un don, une grâce de Dieu.

– Y a-t-il des êtres mystiques en dehors de la religion catholique?

– Tu sais, Marie-Lou, être prêtre ou religieux ne sous-entend pas que nous soyons mystiques, même s'il existe de ces personnes dans l'Église. Crois-moi, l'erreur et l'illusion ont aussi cours dans les communautés religieuses. Celles-ci ne sont pas des sociétés parfaites puisqu'elles sont constituées d'êtres humains ayant leurs qualités, leurs limites et leurs faiblesses. Donc, comme tous et chacun, nous devons purifier notre vie et ne plus investir dans le monde de l'apparence. La vie mystique, d'ailleurs, est un travail à long terme de purification et de patience. Comme dirait saint François de Sales: "Dans le régime des âmes, il faut une tasse de science, un baril de prudence et un océan de patience."

«Par ailleurs, le fait d'être laïc n'exclut pas la vie mystique. Une personne mystique ne possède en réalité aucune dénomination spécifique sinon celle qu'on veut bien lui attribuer. Elle évolue aux confins de la spiritualité. Elle est soumise à l'inspiration divine ou à la communication directe avec Dieu. À l'apogée de sa purification, elle devient pure, de la pureté même de l'Esprit. Aucune pensée mortelle, aucun désir ou convoitise ne l'effleure. Le mystique est immergé dans le cœur même de Dieu. Tu comprendras qu'on ne rencontre pas ce genre de personne à tous les coins de rue! Et je le répète, il s'agit d'une voie bien spéciale dont seul Dieu est l'initiateur.

«Comme je l'ai mentionné précédemment, la vie mystique est un véritable chemin d'apprentissages pour celui ou celle qui s'y engage. Elle implique, entre autres, le détachement du monde d'attraits et de consommations qui s'offrent à nous tous. Il s'agit d'une longue aventure sur le sentier de l'évolution, d'une pénétration dans les ténèbres de l'illusion et du désordre humain pour atteindre les joies sublimes et incommensurables de l'Amour.»

Je réfléchis longuement aux propos du père Claude. Il me restait bien des croûtes à manger pour accéder aux hauts degrés de la voie mystique. Je devais, dans un premier temps, apprendre à correspondre aux invitations de l'Amour m'incitant à devenir de plus en plus compassion et bonté. Aussi, il me fallait apprendre à gérer les conflits et les défis de la vie dans une attitude plus calme et juste. En développant une forme d'intériorité propice à l'accueil des valeurs suprahumaines, je me dégageais petit à petit de moi-même pour laisser circuler le souffle divin en moi. J'avançais confiante dans la Lumière.

8

LA VIE INTÉRIEURE

«Assieds-toi au bord de l'aurore,
pour toi se lèvera le soleil.
Assieds-toi au bord de la nuit,
pour toi scintilleront les étoiles.
Assieds-toi au bord du torrent,
pour toi chantera le rossignol.
Assieds-toi au bord du silence,
Dieu te parlera.»

(L. Vahira)

Pour développer une vie intérieure plus satisfaisante, je commençai à couper graduellement les ponts avec le monde bouillant d'activités qui m'entouraient. Un jour, je découvris, près d'une haute butte de terre à Saint-Jovite, un petit jardin ombreux près d'un ruisseau, tout à fait propice à la méditation. J'avais déniché ce coin de paradis en campant dans cette magnifique région des Laurentides. Une fleur à la robe rougissante, un papillon royal à la recherche du bon nectar, le clapotis du cours d'eau serpentant vers l'inconnu, une fourmi traînant une denrée plus grosse qu'elle-même, le mouvement gracieux d'une feuille au vent, tous ces menus détails contribuaient à d'intenses moments de contemplation. Devant tant de chefs-d'œuvre, ma prière s'élevait vers le ciel, dans un élan de reconnaissance envers le Créateur.

Avec le père Claude, j'appris à mettre des oreilles à mon cœur et à considérer la valeur de la prière au quotidien. Souvent, il me disait: «Marie-Lou, prier c'est donner du temps à Dieu.» Malheureusement, en dehors de mes périodes de méditation avec la nature, je priais davantage pour obtenir une aide divine au cœur de mes déboires ou pour solliciter une réponse à mes nombreuses interrogations. Lorsque ma vie dérapait, je trouvais toujours du temps pour monopoliser Dieu à coup de demandes et de promesses de toutes sortes.

Le mot prière, cet hymne du cœur, venait du latin *«precaria»* signifiant supplier, implorer. Elle créait un pont vers Dieu, un espoir aussi mince ou grand soit-il pour l'homme de voir se réaliser ses désirs d'ordres émotionnels, physiques ou spirituels. Elle ne représentait ni un refuge ni une fuite mais un lieu de rencontre sacré entre l'humain et le divin. Ce qui impliquait, au départ, la reconnaissance d'une vie plus large, plus élevée, plus sage que la nôtre, c'est-à-dire l'existence d'un Être supérieur. Sinon, à qui ou à quoi s'adresseraient nos suppliques?

Pendant mon séjour à Vancouver, je rencontrai Catherine, une femme extraordinaire, affectée durant de nombreuses années à la *Croix-Rouge Internationale*. Cette infirmière comprit très tôt l'importance de la prière au quotidien. À plusieurs occasions, elle s'était sentie impuissante devant les peuples aux prises avec des conflits internes et des guerres civiles. Combien de fois dut-elle se cacher sous un camion pour éviter les obus tombant du ciel comme une mauvaise pluie?

Venir en aide aux combattants du front nécessitait une grande dose de courage et une foi à toute épreuve en la protection divine. Catherine possédait ces atouts. Malgré les heures d'anxiété et de fatigue accumulées à recueillir et à soigner les blessés, elle savait que Dieu n'engendrait pas le conflit. Elle répétait souvent: «Si l'être humain ne muselait pas la vie et ne l'étouffait pas par l'ignorance, la violence et les affrontements, il vivrait dans l'harmonie et la paix plutôt que dans la discorde et la guerre.»

Au terme de son service à la *Croix-Rouge Internationale*, Catherine s'établit aux États-Unis. À ma question:

«Pourquoi sembles-tu si heureuse, toi qui as connu les atrocités de la guerre?»

Elle répondit:

– Marie-Lou, le bonheur se trouve dans l'union paisible avec soi-même, avec autrui et avec Dieu. Notre vie demeure inachevée si nous mourons sans avoir accompli la paix avec celui ou celle que nous considérons notre ennemi. J'ai une foi inébranlable en Dieu et en sa création. Et je prie tous les jours pour que l'amour grandisse en chaque être humain. Cette prière constitue une véritable protection, un mur solide contre mon adversaire intérieur et celui que je projette à l'extérieur. Lorsque l'être humain écoutera la voix de l'Amour, il retrouvera la paix, loin des tourments qu'il s'inflige lui-même par ses haines et ses vengeances. Une foi et une prière solides, indéfectibles en Dieu, sont donc primordiales et indissociables de la paix mondiale.»

À cette époque-là, étant rébarbative à toute réalité «surnaturelle», je filtrai les propos de Catherine, ne gardant que les éléments qui me convenaient. J'aurais souhaité obtenir une recette différente, une autre formule sans cette référence constante à Dieu, Celui qu'elle respirait par tous les pores de sa peau. À chaque jour, matin et soir, elle Le priait et Le remerciait d'être comblée et favorisée par la chance.

En effet, son nouvel emploi l'amenait à voyager à travers le monde. Dans chaque pays où elle œuvrait, une limousine l'attendait pour ses déplacements. Elle fréquentait les meilleurs restaurants et ne manquait de rien. Elle demandait et elle recevait! Catherine mettait même en pratique une réflexion de Jésus: «Cherchez le règne de Dieu et sa justice et tout le reste vous sera donné par surcroît.» Cette vie luxueuse et aisée ne la détournait nullement de Dieu. Au contraire, elle Le remerciait davantage, encore et encore. Au terme de notre entretien, souriante, elle précisa:

«C'est l'effort soutenu dans la foi et la prière qui entraîne de tels résultats de bien-être intérieur. Le grand luxe ne se comparera jamais au mystérieux silence de Dieu. Jamais! Certes, j'accepte avec joie l'abondance qu'Il m'offre, mais je ne déifie pas mes richesses. Je me laisse plutôt bercer par les eaux profondes de Son amour. Telle est ma véritable opulence.»

Plusieurs aspects du discours de Catherine me touchèrent droit au cœur. Je ne loupais aucune occasion de raconter son histoire à qui voulait bien l'entendre. Sa foi solide et communicative donnait un sens à sa vie et invitait au dépassement et à l'engagement.

À la suite de notre rencontre, je méditai régulièrement cette magnifique prière d'Eileen Caddy*, que Catherine m'avait remise en me quittant:

«Regarde l'abondance de la nature, de la beauté tout autour de toi, et reconnais-Moi en toute chose. Combien de fois durant la journée, alors que tu vas de-ci de-là, regardes-tu les merveilles autour de toi et remercies-tu pour tout cela?

«La plupart du temps, tu es tellement pressé que tu en manques une grande partie et oublies de t'imprégner de ces merveilles et de ces splendeurs qui élèveraient et rafraîchiraient ton âme. Il s'agit d'ouvrir les yeux, d'être sensible et attentif. Commence dès maintenant à devenir de plus en plus attentif aux choses importantes de la vie, aux choses qui rendent le cœur content et qui rafraîchissent l'Esprit et élèvent la conscience.

«Plus tu absorbes de beauté, plus tu peux refléter de beauté. Plus tu absorbes d'amour, plus d'amour tu as à donner. Le monde a besoin de plus en plus d'amour, de beauté, d'harmonie et de compréhension, et tu es la personne qui

---

* Eileen Caddy, *La petite voix, méditation quotidienne*, Collection Findhorn, 1999.

est faite pour les donner. Pourquoi ne pas ouvrir ton cœur maintenant et le faire?»

Quelle prière! Grâce à une lecture assidue de ce texte, j'apprenais de plus en plus à célébrer les merveilles de la Création. Dans mes précieux moments d'intimité avec la nature, un sentiment de bien-être m'envahissait. La prière devenait, telle une rivière ruisselante, un courant majestueux circulant au cœur de mon être pour se déverser en cascade lumineuse sur tout ce qui m'entourait.

Lors d'une conversation à bâtons rompus sur le sujet de la prière, le père Claude me fit une remarque fort judicieuse:

«Que l'on vive dans les jungles profondes de l'Afrique, au sommet d'une montagne du Népal ou sur les rives de l'océan Pacifique en Californie, la prière fera toujours partie de l'expérience humaine. Depuis la nuit des temps, elle représente un langage sacré, utilisé par tous les peuples et toutes les religions de la terre. Qu'elle soit articulée autour d'une structure bien établie ou qu'elle provienne du fond de la détresse humaine, elle a joué et jouera toujours un rôle primordial au sein de l'évolution de notre monde.

«La prière, tout comme le sentiment amoureux, n'est pas stéréotypée. Par exemple, un couple vivant une union sacrée ne partagera pas ses élans amoureux de manière identique à ceux d'autres tourtereaux. Les partenaires se construisent un langage intime bien à eux. Lorsque l'un deux part en vacances ou en voyage d'affaires, l'autre n'éprouve pas les tourments de la séparation puisqu'il demeure en communion de cœur avec son âme sœur. Il en est ainsi pour la prière. Même si je ne suis pas en posture de recueillement, la prière est toujours présente en moi. Elle s'exprime par une action, un geste, une parole, une attitude qui diffère de celle des autres dans la forme; mais dans son essence, elle est identique.»

Le père Claude prit une profonde inspiration avant de poursuivre:

«La prière varie d'une culture à l'autre, bien que l'objectif demeure le même: le retour à la paix et à l'amour. On ne peut pas juger meilleure ou moins bonne la façon chrétienne, bouddhiste, musulmane, hindouiste, tibétaine, égyptienne, d'entrer en relation avec Dieu. Comment pourrais-je mesurer ou évaluer la prière des autres? Et dans quelle intention? Pour la dénigrer en faveur de la mienne? En agissant ainsi, suis-je plus avancé, plus heureux? Crois-moi, Marie-Lou, chacun va continuer de prier à sa manière. Et si je pensais contribuer à changer le monde par mes critiques intempestives, soi-disant basées sur de "longues études comparatives", je suis dans l'erreur. Au contraire, par mes paroles malfaisantes et négatives, je sème la division et la haine en moi et autour de moi.»

Il conclut en disant:

«Chère amie, la prière est une respiration en Dieu. Elle existe afin de permettre à tout être humain, entre autres, de réaliser l'ultime libération. Puisque nous avons été créés libres, il revient à chacun d'emprunter la route de son choix. Néanmoins, si une personne veut grandir dans les voies surnaturelles, elle doit préférer le "chemin de l'âme". Ce dernier ne suscite ni mépris ni entrave à la liberté d'autrui. Telle une sentinelle lumineuse, cette route reste éclairée, beau temps mauvais temps. À l'intérieur de ces balises, tu peux faire ce que tu veux. Mais n'oublie jamais ceci: l'amour demeure l'expérience ultime de la prière. Ce grand sentiment ne peut s'épanouir dans le négativisme, la réussite sociale ou la prospérité matérielle. Il se développe au cœur de l'humilité et du dépouillement et incite à une vie exempte d'artifices.»

Plusieurs mois auparavant, un rêve magnifique, que je nommai *Les dunes du pardon*, m'avait fait entrevoir comment l'amour était primordial pour la paix de tous et chacun. Et surtout, à quel point la prière jouait un rôle important et favorable dans ma vie. Au cours des années, j'avais été profondément blessée et éprouvée par trois personnes. J'en avais gardé des marques indélébiles au cœur et à l'âme jusqu'à en être incapable de me mouvoir sans éprouver de malaises intérieurs, parfois insupportables. Dans une ardente prière au ciel, je demandai d'être libérée de ces souffrances. Ce rêve en fut la réponse. Il me permit d'entrevoir la lumière au bout de ce tunnel chargé d'angoisses et de peurs.

Je marchais dans le désert. Une lumière brillante enflammait les dunes, leur donnant une couleur flamboyante aux reflets ambrés. Aucun souffle ne soulevait le sable fin qui accueillait les rayons ardents du soleil. Cette région australe et solitaire semblait animée d'une présence invisible. Je déambulais, heureuse, dans ce lieu aride et rempli de vallons. Je portais un long sari blanc et j'enfonçais mes pieds chaussés de sandales brunes, dans le sable chaud et fin.

Soudain, je vis apparaître derrière une des dunes, trois hommes chargés d'une lourde croix. Ils avançaient vers moi avec grande difficulté. Lorsque le premier arriva à ma hauteur, il était complètement courbé sous le poids de sa croix. Il toucha l'un de mes pieds et leva vers moi un visage ruisselant de larmes. Je reconnus en lui, l'une des personnes m'ayant blessée.

Nul ressentiment, désir de vengeance ou peur n'effleura mon esprit. Un surcroît d'amour m'empêchait même de le juger et de le condamner. Accablé par la honte et la culpabilité, l'homme implora mon pardon tout en me regardant d'un air suppliant. De la main, je fis un geste très doux en guise de réconciliation. Une lumière s'alluma au fond de ses yeux. Il reprit sa route vers une direction inconnue.

Les deux autres hommes s'approchèrent à leur tour. Sur leur visage crispé par la douleur, des larmes roulaient le long de leurs joues. À tour de rôle, ils m'implorèrent de les gracier de leurs méfaits. Devant ces êtres anéantis par la souffrance, je souris tendrement et les serrai l'un et l'autre contre mon cœur. Soulagés et heureux, ils poursuivirent leur chemin dans le désert. En me tournant vers la gauche, j'aperçus, sur une dune, trois croix plantées dans le sable. De noires qu'elles étaient, elles brillaient désormais comme l'or au soleil.

La nuit où je fis ce rêve, je me rendis à la chapelle de la communauté religieuse où je séjournais pour la fin de semaine. À cette heure de la nuit, personne ne s'y trouvait. J'appréciais cet endroit silencieux et calme: la pénombre, le petit lampion rouge et les fleurs au pied de l'autel. Après un moment de recueillement, je récitai une longue prière de remerciement à Dieu pour la guérison extraordinaire qui s'était produite en moi. J'avais accueilli ces trois personnes sans leur reprocher les fautes commises à mon égard, sans me remémorer le mal qu'ils m'avaient causé. Au contraire, j'avais éprouvé pour eux un sentiment d'amour dépourvu de jugements et de condamnations.

Cela dit, je ne les invitais pas dans la réalité à reproduire leur comportement destructeur envers moi-même, ni eux ni qui que ce soit. Car la justice aurait aussitôt fait de les cueillir pour les incarcérer. Je les reconnaissais plutôt comme des êtres blessés qui, en contrepartie, en blessaient d'autres à leur tour. Pour cesser cette chaîne destructive et les aider à retrouver le chemin de la lumière, je devais offrir amour et compassion à leur cœur tourmenté.

Après avoir partagé ce rêve au père Claude, il déclara:

«Quel rêve fantastique! Tu as reçu une réponse stupéfiante à ta prière de libération. Et bravo pour tes remerciements. Car, vois-tu, la prière est aussi une louange, une reconnaissance pour une faveur obtenue.

«Par ailleurs, les livres de spiritualité nous enseignent de multiples manières "d'être" devant l'Être suprême: la parole, le silence, la contemplation, la louange, l'action de grâces, la demande, l'accueil, la répétition, l'adoration, etc. À chacun de trouver son propre langage, celui qui met à jour le fond de son cœur pour l'exposer au courant bienfaisant de cette Présence amoureuse et incommensurable.»

Ces paroles me firent comprendre que la prière ne constituait pas une recherche de soi ou une échappatoire devant les difficultés de la vie, mais davantage une expérience de Dieu. Dans ce sanctuaire merveilleux de mon être, jardin secret de ma vie spirituelle, j'approfondissais un langage précieux et mystérieux. La beauté de l'être se parait d'une lumière unique: celle de l'amour. La prière me conduisait, sans coup férir, à ce lieu sublime où se fusionne le cœur de l'homme à celui de Dieu.

Un autre événement m'incita à considérer la prière et l'amour comme facteurs essentiels de croissance personnelle et spirituelle. Quelques semaines après ma séparation conjugale, une congestion pulmonaire me cloua au lit pendant plusieurs mois. Malgré des visites répétées à l'hôpital et l'absorption de puissants antibiotiques, rien ne parvenait à amoindrir mon mal. Je toussais à m'en arracher les poumons et je m'essoufflais au bout de quelques pas à peine. Mes sœurs et mes amis s'inquiétaient de mon état de santé. Une nuit, mon malaise empira à un point tel que je crus ma dernière heure arrivée. Dans une prière ardente vers le ciel, j'invoquai une seconde fois les anges. Soudain, j'entendis une voix intérieure murmurer: «Avec ton consentement, je peux t'aider à guérir.» Puis, plus rien!

Les jours suivants furent si pénibles que je donnai suite à cette étrange manifestation en acceptant la guérison proposée. Je voulais tant être délivrée de mes douleurs physiques et de mes tourments intérieurs. C'est ainsi qu'une soudaine inspiration me poussa à des actions précises. J'entrepris un bon ménage intérieur en plus de réparer les pots brisés. Peu à peu, un filet d'amour commença à pénétrer mon être me permettant de considérer mes erreurs avec un regard différent, avec les yeux de l'amour et de la compassion.

Une semaine plus tard, la maison familiale fut vendue. Je déménageai à la campagne dans un lieu peuplé de sapins. À ma grande surprise, ma bronchopneumonie commença à s'estomper pour disparaître complètement en l'espace de quelques jours. Était-ce l'intervention des anges, l'air pur de la campagne, une nouvelle coïncidence, ou une réponse à ma prière? Je ne le sais guère.

Quoi qu'il en soit, mes doutes se dissipèrent et je m'ouvris davantage au secours spirituel, toujours accessible et présent dans le besoin. La prière devint un outil important non seulement pour obtenir une quelconque faveur, mais aussi pour entrer en communion avec le monde surnaturel. Comme l'érosion creuse une pierre, la prière burinait un sillon lumineux au creux de mon âme.

La prière prit une place encore plus grande dans ma vie lorsque j'accompagnai les enfants en phase terminale de cancer en Californie. En regardant ces petits êtres fragiles, cloués dans leur fauteuil roulant ou dans leur lit, les yeux éteints ou remplis d'espoir, je sollicitais souvent Dieu en ces termes: «Seigneur, aidez-Les dans ce passage difficile de leur vie.»

Je priais également lorsque des événements horribles survenaient dans le monde, tels la guerre au Rwanda, la tuerie d'étudiantes innocentes à l'*École polytechnique de l'Université de Montréal*, le tremblement de terre meurtrier au Mexique, l'attaque du *World Trade Center* à New York, etc. Et je priais lors des petites épreuves de la vie courante: la tristesse d'une amie, les moments pénibles d'une de mes sœurs, le décès d'un bon complice ou encore, durant mes conflits interpersonnels...

Je savais pertinemment que la prière ne représentait pas une baguette magique répondant instantanément à tous mes besoins, au moment désiré ou dans les conditions voulues. Parfois, elle opposait un silence à mes sollicitations et me permettait de tirer des leçons de vie que l'obtention d'une réponse n'aurait probablement pu m'offrir. La prière m'invitait surtout au calme et à l'apaisement de l'esprit. Elle inspirait et illuminait mon être profond tout en le conduisant vers l'épanouissement spirituel.

Aujourd'hui, la prière demeure au cœur de mes activités quotidiennes et m'aide à pénétrer de plus en plus le mystère de la vie. Elle jaillit souvent de mes moments de silence et elle ouvre mon coeur aux messages de Paix et d'Amour qui élèvent et vivifient mon âme.

9

LA GUÉRISON DE L'ÂME

«Le plus grand bien que nous puissions faire aux autres n'est pas de leur communiquer notre richesse, mais de leur révéler la leur.»

(Louis Lavelle)

Depuis les six dernières années, j'ai fait de nombreuses rencontres bénies. Mes partages avec ces nouvelles personnes se sont avérés extraordinaires, pour ne pas dire, sacrés. Ils m'ont permis d'avancer encore plus loin sur le sentier du détachement et de l'amour. Bien sûr, parler d'amour, c'est cliché. Pourtant, aucune guérison de l'âme ne peut s'accomplir sans cet élan envers soi-même, les autres et tout ce qui nous entoure. L'écrivain Anthony De

Mello avait d'ailleurs une jolie petite histoire à ce sujet.

«Un homme qui était très fier de son parterre se retrouva aux prises avec une quantité importante de pissenlits. Il essaya toutes les méthodes qu'il connaissait pour s'en débarrasser. Mais ils étaient toujours là. Finalement, il écrivit au ministère de l'Agriculture. Il lui fit part de tous les moyens utilisés et conclut sa lettre en demandant: "Qu'est-ce que je dois faire, maintenant?" La réponse vint par retour du courrier: "Nous vous conseillons d'apprendre à les aimer."»*

J'appris aussi, bien souvent à mes dépens, que de ne pas vivre dans l'instant présent conduisait invariablement à des situations très souvent pitoyables et malheureuses. Lors d'un voyage d'un mois à San Francisco, je reçus une mauvaise nouvelle par télégramme. Sous le coup de l'énervement, j'abrégeai mon séjour aux États-Unis et réservai, le jour même, un siège sur le premier avion en partance vers Montréal.

Assise confortablement dans la salle d'attente de l'aéroport, je m'endormis au son d'une

---

* Anthony De Mello, *Comme un chant d'oiseau*, Bellarmin - Desclée de Brouwer, 1994, p. 56.

musique mélodieuse provenant de mon lecteur de cassettes. À mon réveil, la salle d'embarquement était déserte. Une crainte terrible se leva en moi. Je me précipitai vers une hôtesse pour apprendre que l'avion dans lequel je devais prendre place avait décollé depuis au moins quinze bonnes minutes. Devant ma consternation, elle m'invita à me présenter au comptoir des vols nolisés. Dépassant une longue file d'attente, je m'avançai vers le préposé pour lui déclarer avec angoisse:

«Je dois ABSOLUMENT prendre le prochain avion.»

Il rétorqua d'un ton neutre:

– Madame, j'ai seulement quatre places de disponibles et il y a plus de vingt personnes sur ma liste d'attente qui désirent obtenir l'un de ces sièges.»

Devant mon insistance et voyant ma détresse s'intensifier, il s'enquit de mon nom et des informations d'usage, prit ma carte de crédit pour le paiement du voyage, et hop! je me retrouvai dans l'avion, en première classe par surcroît. Enfin, je pouvais commencer à me détendre et respirer plus librement. Les heures s'écoulaient tranquilles sous le vrombissement des moteurs lorsque, tout à coup, un sombre pressentiment contracta mon estomac. Je demandai à ma voisine:

«À quelle heure cet avion atterrit-il à Montréal?»

Étonnée, elle me dirigea vers l'hôtesse de l'air. Je lui posai la même question. Affichant un air tout aussi surpris et décontenancé que celui de ma compagne de voyage, elle disparut derrière les rideaux de la cabine pour revenir, une minute plus tard, avec le pilote! Ce dernier s'enquit poliment de ma destination:

«Où allez-vous, madame?»

La voix un peu chevrotante, je répondis:

– Mais, à Montréal, comme tout le monde!»

Son étonnement devant ma réponse augmenta mes inquiétudes. Confus, il reprit:

– Ma pauvre dame, nous allons atterrir à Dallas, au Texas, dans une heure.

– À Dallas! Au Texas! C'est impossible! J'ai bel et bien réclamé un vol pour Montréal!»

Mon esprit s'agita, cherchant fébrilement dans mes souvenirs la source de cette erreur monumentale. Mon Dieu! J'avais imploré le commis de m'inscrire sur la liste des passagers du prochain vol, mais j'avais négligé de m'informer de sa destination!!! Comment avais-je pu croire un seul instant que tous les vols nolisés offerts à ce kiosque se rendaient à Montréal! Décidément! Tout allait de mal en pis! Et ma sœur Linda qui m'attendait à l'aéroport de Dorval!

Au terme de cette aventure rocambolesque, je réalisai que dans la précipitation et la confusion, j'avais agi de manière instinctive et viscérale! Le véritable enjeu aurait été pour moi de «rester» dans l'instant présent, de digérer cette mauvaise nouvelle plutôt que de la fuir, à droite et à gauche, en véritable écervelée. Je m'étais privée d'une opportunité incroyable de guérison et d'amour envers moi-même.

Heureusement, cet événement me permit de saisir qu'il m'était impossible de toujours filer à l'anglaise pour éviter la souffrance. Elle faisait partie inhérente de la vie. Vouloir l'éluder ou la considérer comme extérieure à toute expérience, c'était s'imaginer qu'il pouvait pleuvoir sans l'apport des nuages. L'écrivain Norman Vincent Peale exprima merveilleusement bien cette pensée à une personne qui se plaignait de ses mille et une souffrances: «Je ne connais qu'un seul endroit à New York où résident vingt-cinq mille personnes n'éprouvant plus aucun souci.

– Ah oui!» déclara la personne curieuse. Et quel est ce lieu merveilleux que je puisse m'y rendre illico?

– Le cimetière Woodlawn!» répondit le docteur Peale.

La souffrance existait bel et bien et faisait partie de notre héritage à tous et chacun. La percevoir de manière négative représentait une erreur fondamentale. D'ailleurs, qui avait dit que la souffrance était mauvaise? Qui avait prétendu qu'il fallait absolument s'en départir, l'éviter pour couler des jours heureux?

Accepter la souffrance et l'éprouver dans son être profond, voilà qui m'apparaissait comme un geste essentiel de maturité et un tremplin privilégié vers une plus grande compréhension de l'être et, de manière ultime, une guérison de l'âme. Toutefois, il fallait l'assumer dans l'instant présent, sans s'y enliser et s'y morfondre dans une complaisance morbide, et ce, pendant des lunes.

Treize ans plus tôt, durant les trente-cinq heures de «travail» précédant la naissance de ma fille bien-aimée, je demandai à mon ex-mari de me répéter sans cesse ces deux mots: «ici» et «maintenant». Ce rappel constant m'aidait à ne pas dériver vers les sentiers de la peur au sujet des accouchements difficiles et problématiques dont on m'avait tant rabâché les oreilles durant ma grossesse.

En fait, ma capacité d'accueillir Diane fut décuplée par ma «présence» entière à cette expérience souffrante mais combien comblante et sublime! Toute résistance n'aurait fait qu'accroître mes douleurs et rendre encore plus pénible mon accouchement. L'arrivée magnifique de ma fille sur la terre se vivait là, au moment présent, ici et maintenant, sans aucune précipitation. À cette minute précise, je mourais à ma vie de fille pour devenir mère à tout jamais. Quel cadeau merveilleux de la vie!

En réalité, ma guérison était tributaire de ma capacité à vivre l'instant présent et à recouvrer l'harmonie en dehors du champ de bataille de mes illusions et de mes peurs. Un de mes rêves spirituels, pour lequel je donnai le titre de *La pensée voyageuse*, me confirma à quel point mon cœur blessé et fermé m'avait conduite à élaborer des chaînes solides de haine se répercutant au-delà du perceptible et du tangible.

Je déambulais dans un monde de lumière. Tout était pur et cristallin comme les eaux froides d'une haute montagne. Une voix me demanda si je désirais connaître l'effet de mes pensées. J'acquiesçai sans hésitation. Mon corps, léger et transparent, disparut alors pour laisser place à un corps lourd et empêtré. Je me retrouvai marchant dans un jardin aux odeurs de jasmin et de lilas, par une fraîche nuit d'automne. Le vent faisait frémir les feuilles dans les arbres. J'aperçus un banc de bois et je m'y installai confortablement. Le ciel était clair et déjà les étoiles parsemaient sa voûte.

Je fermai les yeux et ma mémoire m'entraîna vers de lointains souvenirs. J'avais treize ans et je m'amusais dans un parc d'Outremont avec des garçons et des filles de mon âge. Je me dirigeai vers un nouveau membre de notre groupe, impressionnée par ses remarquables pirouettes. Lorsqu'il termina son numéro, il se tourna vers moi et ce que je vis me stupéfia. Son visage ressemblait à un véritable masque de cire. Surprise, je lui dis impulsivement:

«Comme tu es laid!»

À l'instant même où les mots franchissaient mes lèvres, je regrettai mon manque de diplomatie, et surtout, mon jugement mesquin. En voyant l'effet désastreux que mes paroles blessantes provoquèrent chez lui, une étrange envie de pleurer me saisit. Des excuses montèrent en moi, mais pour une raison obscure, ne traversèrent pas le mur de mes lèvres. Le garçon fit une autre pirouette avant de déguerpir.

Mon rêve me transporta ensuite en dehors de ce souvenir. Je devins observatrice. Je vis le garçon se saisir de ma remarque offensante et souffrir terriblement de ce rejet en se repliant sur lui-même. Les années passèrent... Je constatai que ce jugement sévère s'était incrusté profondément en lui. Il buvait beaucoup et son existence s'avérait futile et sans intérêt. On le considérait comme un être bizarre et inquiétant. Il suscitait sans cesse le même genre de commentaires désobligeants, comme un aimant attire le métal. Personne ne l'aimait.

Soudain, je me retrouvai dans la peau du garçon que j'avais blessé. Je ressentis péniblement tous les détails de son existence de misère à partir du moment où mes yeux et mon cœur le renièrent au parc. Je commençai à offenser les autres pour rendre ma douleur plus supportable. Le sentiment de rejet m'accablait et, dans ma noirceur, je devenais méprisante et déloyale. Le soleil avait disparu derrière l'horizon de mes espoirs et le vent de la tempête s'était levé avec force et véhémence dans ma vie. Je me mis à lancer des dards empoisonnés sur les personnes qui croisaient ma route. Celles-ci, meurtries par mes attaques, partaient avec les pensées de haine que j'avais projetées sur elles et construisaient d'autres intrigues et scénarios de noirceur. Dans leur tourment, elles commettaient le mal à leur tour de sorte que des maillons s'ajoutaient à la longue chaîne de souffrances déjà existante.

Puis, je redevins moi-même. Dans l'allée du parc, un homme assez grand se dirigeait vers moi. Je le reconnus immédiatement. Son visage reflétait une grande détresse. J'avais la nette impression qu'il voulait poser le geste désespéré du suicide. Rapidement, je me levai pour aller à sa rencontre. Lorsqu'il fut à mes côtés, je le regardai tendrement dans les yeux en déclarant:

«Reste ici, nous allons parler.»

Ce rêve *m'enseigna* que la pensée voyage et touche le cœur des gens concernés. Bonne ou mauvaise, elle se rend, à l'instant même où elle a été émise, chez celui pour qui elle a été conçue. Comme le dit si bien le proverbe chinois: «La flèche a déjà atteint son point d'arrivée avant même d'avoir laissé l'arc.»

La pensée n'a pas à devenir verbale pour être reçue. Son impact est d'une égale intensité même si les personnes sont inconscientes de la pensée projetée. Si la pensée est «bonne», elle occasionne une chaîne d'amour. Si elle est «mauvaise», elle engendre une chaîne de haine. L'être humain devient responsable de ses pensées négatives. Seuls le pardon et l'amour peuvent rompre ces liens et lui apporter la libération.

À la suite de ce rêve, je demeurai plusieurs jours en état de choc. Je pris conscience des nombreuses souffrances causées aux autres et, pire encore, de ma responsabilité face à toutes les chaînes créées en partant du premier maillon jusqu'au dernier. Directement et indirectement, par mes pensées malsaines, j'avais blessé bien des personnes durant mon parcours. Je pensai à toutes les chaînes négatives et les conflits que j'avais générés depuis ma tendre enfance. Cela m'affligea.

Ma véritable guérison consistait à épurer encore davantage mes pensées de haine et de destruction pour éviter l'élaboration d'autres enchaînements stériles. En reconnaissant que toute personne a le doit de vivre, de manger, de boire, de s'exprimer et de regarder la vie, autrement que par la lentille de mes lunettes, je m'ouvrais à des perspectives nouvelles. De plus, j'acceptais que chacun puisse entretenir avec «son Dieu» une relation qui soit étrangère ou opposée à la mienne, sans pour autant le dénigrer et le percevoir comme un vilain ou un «outsider». En tirant profit de mes erreurs, je pouvais fabriquer de nouvelles chaînes, cette fois-ci plus fortes et positives, comportant des maillons remplis d'amour et de compassion.

Aujourd'hui, je ferme le livre de mes souvenirs. Oui, j'ai connu la drogue, l'alcool, la rue et surtout la peur, cette peur qui ronge par en dedans et qui ne semble trouver d'exutoire que dans l'angoisse la plus profonde. J'ai passé par les terreurs des nuits sans lune, par les tremblements qui s'étirent à en perdre la raison, par les incertitudes profondes devant l'avenir, par la douleur fulgurante des rejets et par le désir oppressant, obsédant même, d'en finir avec une existence vide de sens...

J'ai côtoyé différentes religions, le bouddhisme, l'hindouisme, etc., j'ai plongé dans le Nouvel âge, j'ai erré sur le continent nord-américain, j'ai touché mille et un métiers. J'ai connu les ennuis, les tiraillements, les incompatibilités, les passions de toutes sortes, mais jamais je n'avais saisi véritablement le sens du mot «Amour». Je l'avais apprêté à toutes les sauces, mais l'Amour, celui qui transcende tout et qui ne peut émaner de l'être humain, je l'avais occulté au profit d'un amour chargé de peurs, de penchants, de convoitises, de jalousie et de contradictions.

À vouloir atteindre les plus hautes cimes de l'avoir plutôt que de l'être, à chercher sans cesse des objectifs plus grands pour ma gloriole personnelle, à espérer courir toujours plus vite que le vent et chanter plus fort que la chorale, je me suis enlisée dans une vision déformée de la réalité. Heureusement, des rencontres fortuites tout au long de mon périple, m'ont permis grâce à leur amour inconditionnel, de faire le ménage dans mon monde où régnaient le désordre, la pagaille et l'anarchie.

En vérité, Linda, Hélène, Marielle Rousseau, Denise Hamel, Francine Pepin, Marc Millette, François Houle, Rose Pineault, André Lévesque,

Pierre Alarie, Bryan, Richard et Carolyne T. Clark, le père André Dame, mon bel ami Paul-Émile, et combien d'autres, avec le temps, par leur présence, leur soutien, leur sourire et leurs paroles, ont mis un baume et retiré quelques épines plantées au cœur de mon être souffrant?

Mais, ma renaissance, ma guérison, même si elle n'est pas complète, je la dois surtout à une personne extraordinaire, le père Claude, qui a su m'accueillir et me sortir des marais de l'égarement alors que je m'y enlisais littéralement. En ces temps où l'Église vit des soubresauts sérieux, il importe de souligner l'apport de ceux qui, par leur amour indéfectible et le don de leur vie au service des autres, parviennent à aider les êtres blessés rencontrés sur leur route. À ce prêtre, à ce pasteur soucieux de recevoir et d'aider les personnes blessées, je lève mon chapeau!

J'ai parcouru une longue route, parfois sombre et terrifiante, d'autres fois claire et joyeuse. Bien sûr, la vie m'apportera encore son lot de peines et de joies. Mais aujourd'hui, je prends un nouvel embranchement, une bretelle définitive sur l'autoroute de la vie: le chemin de l'amour. Je ne peux prétendre à une libération complète de mon être. Je dois encore renoncer à certaines visions obtuses de la vie. Il me faut abandonner mes idées préconçues et mes élans teintés d'orgueil et de colère pour laisser place à l'humilité et le respect des autres.

En développant une force intérieure plus grande devant les épreuves et les adversités, je peux enfin redevenir ce que j'ai toujours été: un être libre. Comme l'a si bien dit Martin Luther King: «Si tu ne peux être un arbre sur la colline, sois un buisson dans la vallée, mais sois le meilleur buisson à des lieux à la ronde. La valeur ne se mesure pas à la dimension. Sois ce que tu es, mais sois-le à fond.»

Aujourd'hui, je peux dire que la Vie divine a pénétré en moi et m'aide à faire éclore la fleur qui y dormait. Mes racines s'entrelacent dans les profondeurs de l'Amour et mes pétales s'épanouissent sous les chauds rayons du soleil de Dieu. Sans la présence soutenue et rassurante du père Claude, ma fleur serait demeurée fanée. Ma source d'abreuvement serait tarie et mon front plissé, penché vers le sol, formerait encore une ombre sur la poussière de mon passé.

Voilà, mes chers amis, ce que je voulais vous partager! Maintenant, mon nouvel éclairage est la lampe puissante de l'AMOUR. Telle est ma richesse spirituelle. Je tourne maintenant la page sur mon passé. Je vais reprendre le bâton du pèlerin et poursuivre ma route, ma quête personnelle, vers des ailleurs et des compréhensions nouvelles. Malgré un certain vague à l'âme, je suis remplie de joie et d'allégresse devant les bienfaits que cette écriture m'a apportés. J'ai changé, j'ai évolué, j'ai grandi. Pour certaines personnes de mon entourage, je suis même méconnaissable. Si je suis différente d'hier, c'est parce que brille en moi la Flamme tant recherchée. Elle scintille au plus profond de mon cœur et il me tarde d'attiser le feu dans le cœur de ceux et celles qui le désirent.

10

TÉMOIGNAGES

«Sème la joie dans le champ de ton frère et elle fleurira dans le tien.»

(André Morency)

Très chère Marie-Lou,

Tu viens à peine de m'annoncer que ton livre Vers la Lumière sera de nouveau réédité! Quel bonheur d'apprendre que le rêve que tu caressais depuis au moins vingt ans minimum, non seulement s'est concrétisé mais connaît un succès fulgurant.

J'ai très hâte de lire cette nouvelle version: Périple vers la paix intérieure, le chemin de l'amour.

Je suis convaincue que ce livre doit être riche et intense comme tu sais l'être si souvent.

Je profite de cette lettre pour te redire que je t'aime. D'un amour immense, colossal, que pas un seul roman d'amour ou d'amitié au monde ne saurait décrire ni rendre justice.

Cet amour aurait pu se tarir, se détruire, car certains événements difficiles et incontrôlables de notre enfance et de notre adolescence ont mis de l'ombre et des larmes sur notre bonheur d'être réunies. D'être deux. Il n'en est rien. Les coupures, les déchirures, les crises d'identité ont certes été difficiles et éprouvantes, mais elles n'ont jamais réussi à briser ce lien qui nous unit avec autant de force.

Nous avons grandi quelques années à l'orphelinat et dans une famille d'accueil. Malgré tout, je me souviens de nos éclats de rire et de nos enlacements qui déconcertaient et émouvaient tant de gens. Je les sentais émerveillés par nos débordements affectueux. Malheureusement, la vie nous réservait bien d'autres tempêtes. Celle qui nous a séparées a été foudroyante. J'ai dû partir. Quitter la famille où nous vivions toutes les deux. Pour toi comme pour moi, la séparation a été déchirante.

Tout a basculé. Nos chemins se sont éloignés. Brusquement. Sans la moindre possibilité de retour en arrière.

De loin, de trop loin, j'ai pu suivre ton parcours. Quand j'apprenais que tu vivais des moments difficiles, ma peine était parfois intolérable. Insupportable. Je souffrais pour deux. Je vivais mes émotions au même diapason que toi. Comme si je pouvais, ainsi, t'enlever un peu de ta souffrance. T'enlacer et te soulager en pensées. Surtout, quand nous étions à des milliers de kilomètres l'une de l'autre. Je me sentais tellement impuissante devant ce lot de malheurs accablants qui semblaient sans fin.

Te dire, aujourd'hui, l'importance que tu as eue et que tu auras toujours. Ta présence dans ma vie a fait toute la différence. Mourir m'était impossible, juste à imaginer la peine sans nom que tu vivrais. Merci pour... la vie!

Nous sommes uniques... même dans nos ressemblances. Et malgré les hauts et les bas que peut représenter notre réalité de sœurs jumelles, malgré ce besoin intense et légitime d'être différentes à notre manière, d'avoir notre petit monde bien à nous d'un côté et notre réseau d'amis communs de l'autre, rien au monde ne m'enlèvera de la tête et du cœur, surtout, l'amour que je te porte. Parfois, à la seule pensée de te perdre un jour, je sens le sol se dérober sous mes pieds et le ciel s'éteindre d'un coup. Tu comprendras qu'il vaut mieux que j'écarte ce genre de pensées de ma tête.

Avec le temps, nos rapports ont beaucoup évolué. Ils se sont approfondis. Se sont teintés de nos expériences de vie et de nos cheminements fort différents. Que de fois j'ai été témoin des tempêtes que tu as affrontées avec les moyens du bord. Parfois fort précaires, il faut le dire. Cependant, tu as bien tenu la barre. Les accalmies, les voyages, les escales, tant de chemins quelques fois inquiétants pour arriver jusqu'à soi!

C'est comme si tu avais traversé les épreuves de ta vie avec un petit fanal à la main pour éclairer ta route ombrageuse. Cette miraculeuse lampe de survie a grossi avec les années. Sa lumière peut même, aujourd'hui, éclairer ma route intérieure et extérieure ainsi que celle de bien des gens. Bravo!

Voilà! Tu as eu un chemin parsemé de joies, mais aussi de grandes luttes et de grandes batailles. Avec le temps, du courage, de la persévérance et beaucoup de détermination, tu as su dépasser de nombreuses peurs pour réaliser l'objectif que tu t'étais fixé. Tu as atteint un sommet de plus dans ton ascension vers la compréhension des événements qui ont jalonné le parcours de ta vie. Tu t'en sors avec brio et force morale, dans la foi et dans la lumière. Je suis tellement heureuse de te voir enfin réaliser ton rêve.

Je t'aime et je me considère la plus chanceuse au monde de t'avoir comme sœur, jumelle de surcroît.

Je te souhaite la plus grande des chances et beaucoup de bonheur et de paix dans cette nouvelle voie qui s'ouvre devant toi.

Avec tendresse et amour.

Linda xxx

Chère Marie-Lou,

Combien de fois as-tu changé de lieux, de villes, de pays? Peut-être croyais-tu ainsi contourner ta vie, tes malheurs, tes souffrances...

Je vous ai connues, ta sœur et toi, au début du secondaire, à la «grande école» comme on le disait si bien. Très rapidement, vous êtes devenues mes sœurs de cœur. J'ai perçu inconsciemment, dès nos premières rencontres, je le sais aujourd'hui, les sentiments d'angoisse, d'égarement et de solitude qui vous habitaient toutes deux. Moi, l'aînée d'une famille de cinq enfants, ayant des parents qui nous aimaient tendrement, je n'ai eu qu'un seul désir: vous faire partager cette vie d'amour qui vous avait et vous faisait toujours défaut.

Dès vos premières venues à la maison, mes frères et mes sœurs vous ont considérées comme faisant partie intégrante de la famille. Jamais de questions, de jugements ni même de méchancetés n'ont été formulés ou commis envers ces deux «nouvelles» sœurs, venues se greffer avec un peu de retard, au sein du noyau familial.

Que de fois, avec les années, je me suis remémorée nos fous rires, les moqueries, les taquineries, les joies, les peines, les déboires et même les quiproquos avec les frères et sœurs... Le train-train quotidien de la vie, quoi!

Je sais, Marie-Lou, tu n'as vécu qu'un mois chez nous (la police étant venue te chercher après ta fugue de ta famille d'accueil), contrairement à ta sœur qui a séjourné beaucoup plus longtemps. Mais sache que tu étais la bienvenue à la maison, les fins de semaine, lorsque tu sortais du centre d'accueil et que tu n'avais aucun endroit où demeurer. Le plaisir de te voir n'en était pas moins décuplé!

Puis, un jour, tout a basculé! Les grandes autorités décidèrent, du haut de leur tribune, que nous devions nous départir de vous, ne plus vous revoir. Et voilà ce bonheur tout simple d'être bien ensemble qui s'envolait. C'est donc dès l'âge de l'adolescence que j'ai compris que la vie, parfois, pouvait être méchante, mesquine, voire même cruelle.

OH! OUI! J'en ai voulu à toutes les personnes qui avaient provoqué cette injustice! Bien sûr, on ne s'est pas perdues de vue immédiatement. Nous organisions, avec l'accord et l'aide de mes parents, des rencontres secrètes à la maison. Mais les départs devenaient de plus en plus pénibles pour nous tous...

Puis l'éloignement s'est imposé de lui-même. De moins en moins, nous avions des nouvelles de vous et même de ton autre sœur qui, elle aussi, avait gagné notre cœur avec les années. Il a fallu nous faire une raison et accepter avec tristesse cette séparation. Pour moi, cette rupture n'a été que physique... Jamais vous n'avez perdu votre place dans mon cœur. Il me suffisait de fermer les yeux pour que, l'espace d'un instant, tout redevienne «normal». Le temps d'une minute, d'un quart d'heure, d'une émotion, et nous étions de nouveau réunis et heureux, tous ensemble, comme par le passé.

Quelques fois, grâce à des informations glanées ici et là, la vie se chargeait de me donner des nouvelles de vous. Toutefois, jamais je n'ai osé briser le silence qui s'était instauré entre nous. POURQUOI? La peur peut-être? La crainte de l'indifférence? de l'oubli? Qui sait?

Les années ont passé, implacables, avec leurs lots de bonheurs et de souffrances. Près de vingt-trois ans sans recevoir de vos nouvelles... Un jour, mon cœur et le besoin de vous revoir ont eu raison de ma peur. Je savais que ta sœur Linda était également auteure et qu'elle n'écrivait pas sous un nom de plume. J'ai donc fait des recherches sur Internet et c'est avec la joie au cœur et beaucoup d'émotions que je l'ai retrouvée. Comme les hasards de la vie n'arrivent jamais seuls, ce fut ensuite ton tour. Quel synchronisme!

Après avoir moi-même vécu quelques malheurs et désillusions, je me suis réconciliée avec la vie. Je CROIS en la vie. Je crois que la vie est belle puisqu'elle m'a permis de retrouver celles qui, dans ma tête et surtout dans mon cœur, seront toujours considérées et appelées: mes «sœurs de cœur».

Je sais, Marie-Lou, que j'étais pour toi un «ange gardien»; celle qui te ramenait les pieds sur terre, celle qui t'aidait à te rétablir de tes «cuites», celle qui te faisait voir les beautés de la vie. Pour moi, tu as été, avec tes sœurs, à l'insu de tous et de manière inconsciente, le catalyseur de la personne que je suis devenue aujourd'hui.

Vous avoir rencontrées m'a appris à ne jamais porter de jugement sur quiconque. À découvrir que, trop souvent, les circonstances du quotidien obligent les êtres humains à se bâtir une façade, un mur solide contre les forces adverses. Toutefois, avec de la tolérance, un peu de patience et beaucoup d'amour inconditionnel, on découvre derrière leurs remparts des gens qui, comme toi, gagnent à être connus car ils nous rendent meilleurs envers et dans la vie.

Maintenant, je suis heureuse de savoir que tu as su trouver la clarté, la lumière au bout de ce tunnel rempli d'embûches: ce passage qui semblait ne plus connaître de fin...

Aujourd'hui, à tes sœurs et à tous ceux et celles qui se sont trouvés sur ma route et qui, de loin ou de proche, vous ressemblent dans leur vécu; à toi particulièrement, Marie-Lou, je veux dire merci. Merci de m'avoir permis d'ouvrir les yeux du cœur pour faire face à la vie. MERCI!

J'avais envie de saluer nos retrouvailles par cet hommage, si petit et minime soit-il, qui a jailli spontanément de mon cœur. Je te l'offre aujourd'hui, Marie-Lou, ma «sœur de cœur», avec tout mon amour et ma joie de t'avoir retrouvée.

Sois heureuse, tu le mérites bien. XXX

Denise Hamel (ta sœur de cœur)

Chère Marie-Lou,

Nos routes se sont croisées à différentes époques dans le temps sans pour autant jamais perdre vraiment contact. Notre première rencontre remonte à l'aube de ton adolescence. J'étais alors «éducatrice» dans un centre d'accueil, maison qui hébergeait temporairement des jeunes filles en difficulté.

La mission du centre se voulait une halte, un petit havre de paix après l'orage; se donner le temps de panser un peu ses blessures pour pouvoir être en mesure de poursuivre sa route, tant bien que mal. Personne n'avait de recettes miracles. Nous vivions notre quotidien au jour le jour avec ses joies et ses peines, sans trop regarder vers l'avenir, puisque le passé était trop présent. On s'apprivoisait, on partageait, on tissait des liens, on formait une grande famille et chacune repartait poursuivre sa route, emportant avec elle un petit quelque chose de ce vécu.

Marie-Lou, tu es arrivée un beau matin avec ton air d'adolescente, te gardant bien de laisser voir à quiconque l'enfant blessée en toi. L'enfant criait son besoin d'être aimée et l'adolescente avait l'air de dire: «Trop tard, je vais me débrouiller seule. Je ne suis pas ici par choix. Compris?» Le quotidien s'est installé avec ses routines. L'enfant qui sommeillait encore en toi et l'adolescente que tu étais devenue se livraient peu à peu aux autres. Tu oscillais entre les deux: l'une réclamait l'amour auquel elle avait droit pour grandir et s'épanouir, et l'autre, la liberté qui lui permettrait d'accéder à cet amour.

C'est à travers ce même quotidien que j'apprenais à te connaître sous ton vrai jour: joviale, un brin espiègle, aimant rire, t'amuser et partager. Mais cela ne t'empêchait pas pour autant d'être toujours prête à écouter, à réconforter et à aider les autres, surtout les plus affligées, celles qui, comme toi, voulaient être aimées pour elles-mêmes.

Les filles recherchaient ta compagnie parce que tu les aimais sans condition. Tu leur donnais beaucoup de temps et d'attention. Quant à recevoir, c'était une autre histoire. L'adolescente était sur ses gardes : elle se méfiait de tout et de tous. Certes, elle permettait à l'enfant en elle de recevoir un peu de cet amour, mais juste ce qu'il fallait pour survivre. Elle n'était pas dupe et ne voulait pas retomber dans le piège. Marie-Lou se souvenait, elle, d'avoir été abandonnée dès son jeune âge et le sentiment de rejet la poursuivait sans cesse. Elle avait des comptes à régler avec la vie. Elle se protégerait. On ne lui ferait plus jamais mal et dorénavant, elle ne compterait que sur elle-même.

Marie-Lou, j'ai été témoin de ces deux dimensions de ton être, l'enfant et l'adolescente, aussi bien dans ton vécu quotidien que lors de nos longues discussions. En essayant de fuguer du Centre à quelques reprises, tu voulais te libérer de toutes contraintes et dépendances, souhait fort légitime. Mais pour aller où? Et pour faire quoi? Tu as compris que le moment n'était pas propice. Il te fallait attendre patiemment.

Quand le centre d'accueil a changé de formule pour devenir un centre fermé, j'ai réalisé qu'il avait du même coup changé de mission. Il y manquait quelque chose d'essentiel et de vital. Avant ce changement d'orientation, il opérait sous le signe de l'amour. Accepter l'autre telle qu'elle était, faire un bout de chemin ensemble dans le respect et le partage, voilà ce qui s'était volatilisé avec la nouvelle formule. Dommage!

J'ai donc démissionné pour assumer la responsabilité d'un foyer de groupe, géré par et pour les filles. Après la crise interne au centre d'accueil, tu es venue te joindre à nous pour y faire un bout de chemin. On se retrouvait sous le même toit. Mais, cette fois-ci, je n'avais plus devant moi cette adolescente à la fois rebelle et souriante. Si quelqu'un pouvait profiter du foyer de groupe, c'était bien toi, Marie-Lou.

Dans ces moments difficiles de ta vie, quelque chose s'était passé. Un cataclysme s'était produit. Tu venais de vivre une tempête au centre d'accueil et je percevais plus que jamais la fragilité de ton être. Tu étais fébrile, tu avais de nombreuses crises d'angoisse et des attaques de panique à répétition. Nous en avons passé des heures ensemble, tantôt à discuter, tantôt à écouter l'autre, attendant que les pleurs ou les tremblements cessent. Tu ne savais d'où ils venaient, ni pourquoi. Tu n'avais aucun contrôle sur ce qui t'arrivait. Il ne te restait qu'à t'abandonner et attendre. Tu m'as permis de t'accompagner parce que tu avais peur d'y laisser ta peau. L'adolescente capitulait malgré elle pour que l'enfant en toi puisse exprimer sa souffrance.

Petit à petit, tu as émergé de ces eaux troubles, de cette période noire. Tu as repris goût à la vie tout en affichant les mêmes couleurs qu'antérieurement. Tu as même été élue «Miss Sourire», au collège que tu fréquentais. L'adolescente reprenait son cheval de bataille. Tu «semblais» plus forte mais avant tout plus déterminée que jamais à aller de l'avant. La liberté tant attendue était à portée de main.

Vers la fin de l'adolescence, deux autres filles et toi êtes parties poursuivre votre chemin, non loin du foyer de groupe, pour voler de vos propres ailes et endosser pleinement votre vie adulte naissante. On gardait contact même s'il n'était pas au quotidien. Pas si facile d'entrer dans une nouvelle phase, d'aller de l'avant, quand on traîne en soi des blessures encore très fragiles et si profondes. Même les «pommades» appliquées n'apportaient qu'un soulagement temporaire. Mais la soif de vivre pleinement, d'être enfin seule maîtresse à bord, était constamment présente à ton esprit.

Quelque temps après, tu es partie... Tu as poursuivi seule ta route vers une quête, cherchant ici et là des réponses. J'avais parfois de tes nouvelles, venant de toi ou d'autres personnes. On se téléphonait à l'occasion, on se racontait brièvement, on échangeait, et chacune poursuivait sa route. Oui, tu en as fait du chemin! Tu en as vécu des expériences, tantôt euphoriques, tantôt dramatiques, réveillant tes vieilles blessures non cicatrisées. Tu cherchais toujours ta place, la voie à suivre, la tienne, pour donner un sens à ta vie. D'instinct, tu allais vers la Lumière, celle dont nous sommes tous issus.

Oui, la vie a finalement répondu à tes attentes et à tes appels intérieurs. Elle a placé de nouveau sur ta route un guide que tu as su reconnaître puisque tu en avais fait la demande. Tu étais prête et avec son aide, tu as cheminé et fait le choix de ne plus poursuivre, seule, ta quête... Merci d'être ce que tu es, Marie-Lou. Merci de nous offrir ce témoignage de ton retour vers la Lumière.

Francine Pepin

Ma chère sœur d'amour,

Ouf! On l'a eu difficile, hein? Dis-toi bien que tout ce parcours orageux de notre enfance, en passant par la résidence des Dupont (Oh! triste misère!), celle des Hamel (Oh! tendresse et amour!), les centres d'accueil (Oh! délinquance!), les foyers de groupe (Oh! dépression!), et la rue (Oh! détresse!), on ne pouvait se douter qu'un chemin vers la lumière se dessinait devant nous. On a appris, mieux que quiconque, non seulement la véritable signification du mot «orage» mais aussi celles de «tornade» et «d'ouragan».

Comme tu le dis si bien, il ne sert à rien de demeurer dans le passé si ce n'est pour faire le nettoyage à fond de nos greniers encombrés. Désormais, la vie s'ouvre devant nous, claire et limpide. À nous d'y inscrire nos véritables choix. Et, Dieu merci, peut-être est-ce le fait d'avoir été séparées durant notre adolescence qui fait nos liens si solides et incassables maintenant. Continuons, ma chère sœur, de nourrir cet amour dans la liberté et la joie.

Chère Marie-Lou, tu es et seras toujours une personne extraordinaire, remplie d'amour et de générosité envers les autres, et surtout, un exemple du pouvoir que nous possédons tous, de transformer de vieux cailloux en de véritables diamants. Quant à ton sens de l'humour légendaire, chère sœur, je crois qu'il t'a sauvé la vie! N'oublie jamais ça!

Je t'aime pour l'éternité,

Hélène xxx

NOTE DES AUTEURS

Ateliers de ressourcement et colloques

Marie-Lou et Claude offrent des journées et des fins de semaine de réflexion ainsi que des accompagnements spirituels pour toute personne intéressée à approfondir sa quête de sens.

Pour rejoindre les auteurs ou obtenir des informations sur leurs activités:

Marie-Lou et Claude
C.P. 44577, C.S.P. Barclay
Montréal, (Québec)
H3S 2W6
Courriel: *marielouetclaude@yahoo.ca*

CHEZ LE MÊME ÉDITEUR:

Liste des livres:

52 cartes d'affirmations, *Catherine Ponder*

52 façons de développer son estime personnelle et sa confiance en soi, *Catherine E. Rollins*

52 façons simples de dire «Je t'aime» à votre enfant, *Jan Lynette Dargatz*

1001 maximes de motivation, *Sang H. Kim*

Accomplissez des miracles, *Napoleon Hill*

Agenda du Succès *(formats courant et de poche), éditions Un monde différent*

Aidez les gens à devenir meilleurs, *Alan Loy McGinnis*

À la conquête du succès, *Samuel A. Cypert*

À la recherche d'un équilibre: une stratégie antistress, *Lise Langevin Hogue*

Amazon.com, *Robert Spector*

Ange de l'espoir (L'), *Og Mandino*

Anticipation créatrice (L'), *Anne C. Guillemette*

À propos de..., *Manuel Hurtubise*

Apprivoiser ses peurs, *Agathe Bernier*

Arrêtez d'avoir peur et croyez au succès!, *Jean-Guy Leboeuf*

Arrêtez la terre de tourner, je veux descendre!, *Murray Banks*

Ascension de l'âme, mon expérience de l'éveil spirituel (L'), *Marc Fisher*

Ascension de l'empire Marriott (L'), *J.W. Marriott et Kathi Ann Brown*

Athlète de la Vie, *Thierry Schneider*
Attirez la prospérité, *Robert Griswold*
Attitude d'un gagnant, *Denis Waitley*
Attitude gagnante: la clef de votre réussite personnelle (Une), *John C. Maxwell*
Attitudes pour être heureux, *Robert H. Schuller*
Au cas où vous croiriez être normal, *Murray Banks*
Bien vivre sa retraite, *Jean-Luc Falardeau et Denise Badeau*
Bonheur et autres mystères, suivi de La Naissance du Millionnaire (Le), *Marc Fisher*
Capitalisme avec compassion (Le), *Rich DeVos*
Ces forces en soi, *Barbara Berger*
Chaman au bureau (Un), *Richard Whiteley*
Changez de cap, c'est l'heure du commerce électronique, *Janusz Szajna*
Chapeau neuf (Le), *Marc Montplaisir*
Chemin de la vraie fortune (Le), *Guy Finley*
Chemins de la liberté (Les), *Hervé Blondon*
Choix (Le), *Og Mandino*
Cœur à Cœur, l'audace de Vivre Grand, *Thierry Schneider*
Cœur plein d'espoir (Le), *Rich DeVos*
Comment contrôler votre temps et votre vie, *Alan Lakein*
Comment réussir l'empowerment dans votre organisation? *John P. Carlos, Alan Randolph et Ken Blanchard*
Comment se fixer des buts et les atteindre, *Jack E. Addington*
Comment vaincre un complexe d'infériorité, *Murray Banks*
Comment vivre avec soi-même, *Murray Banks*
Communiquer: Un art qui s'apprend, *Lise Langevin Hogue*
Créé pour vivre, *Colin Turner*
Créez votre propre joie intérieure, *Renee Hatfield*
Dauphin, l'histoire d'un rêveur (Le), *Sergio Bambaren*
Débordez d'énergie au travail et à la maison, *Nicole Fecteau-Demers*
Découverte par le Rêve (La), *Nicole Gratton*
Découvrez le diamant brut en vous, *Barry J. Farber*

Découvrez votre mission personnelle, *Nicole Gratton*
De l'échec au succès, *Frank Bettger*
De la part d'un ami, *Anthony Robbins*
Dépassement total, *Zig Ziglar*
Destin : Sérénité, *Claude Norman Forest*
Développez habilement vos relations humaines, *Leslie T. Giblin*
Développez votre confiance et votre puissance avec les gens, *Leslie T. Giblin*
Développez votre leadership, *John C. Maxwell*
Devenez la personne que vous rêvez d'être, *Robert H. Schuller*
Devenez influent, neuf lois pour vous mettre en valeur, *Tony Zeiss*
Devenez une personne d'influence, *John C. Maxwell* et *Jim Dornan*
Devenir maître motivateur, *Mark Victor Hansen et Joe Batten*
Dites oui à votre potentiel, *Skip Ross*
Dix commandements pour une vie meilleure, *Og Mandino*
École des affaires (L'), *Robert T. Kiyosaki et Sharon L. Lechter*
Elle et lui une union à protéger, *Willard F. Harley*
Empire de liberté (Un), *James W. Robinson*
En route vers la qualité totale par l'excellence de soi, *André Quéré*
En route vers le succès, *Rosaire Desrosby*
Enthousiasme fait la différence (L'), *Norman Vincent Peale*
Entre deux vies, *Joel L.Whitton et Joe Fisher*
Envol du fabuleux voyage (L'), *Louis A. Tartaglia*
Esprit qui anime les gagnants (L'), *Art Garner*
Eurêka ! *Colin Turner*
Éveillez en vous le désir d'être libre, *Guy Finley*
Éveillez votre pouvoir intérieur, *Rex Johnson et David Swindley*
Évoluer vers le bonheur intérieur permanent, *Nicole Pépin*
Faites la paix avec vous-même, *Ruth Fishel*
Faites une différence, *Earl Woods et Shari Lesser Wenk*
Favorisez le leadership de vos enfants, *Robin S. Sharma*

Fonceur (Le), *Peter B. Kyne*
Gestion du temps (La), *Danielle DeGarie*
Guide de survie par l'estime de soi, *Aline Lévesque*
Hectares de diamants (Des), *Russell H. Conwell*
Homme est le reflet de ses pensées (L'), *James Allen*
Homme le plus riche de Babylone (L'), *George S. Clason*
Il faut le croire pour le voir, *Wayne W. Dyer*
Illusion de l'ego (L'), *Chuck Okerstrom*
Je vous défie! *William H. Danforth*
Journal d'un homme à succès, *Jim Paluch*
Joy, tout est possible! *Thierry Schneider*
Leader, avez-vous ce qu'il faut?, *John C. Maxwell*
Légende des manuscrits en or (La), *Glenn Bland*
Lever l'ancre pour mieux nourrir son corps,
son cœur et son âme, *Marie-Lou et Claude*
Livre des secrets (Le), *Robert J. Petro* et *Therese A. Finch*
Lois dynamiques de la prospérité (Les), *Catherine Ponder*
Magie de penser succès (La), *David J. Schwartz*
Magie de s'autodiriger (La), *David J. Schwartz*
Magie de voir grand (La), *David J. Schwartz*
Maître (Le), *Og Mandino*
Marketing de réseaux, un mode de vie (Le), *Janusz Szajna*
Meilleure façon de vivre (Une), *Og Mandino*
Même les aigles ont besoin d'une poussée, *David McNally*
Mémorandum de Dieu (Le), *Og Mandino*
Mes valeurs, mon temps, ma vie! *Hyrum W. Smith*
Moine qui vendit sa Ferrari (Le), *Robin S. Sharma*
Moments d'inspiration, *Patrick Leroux*
Momentum, votre essor vers la réussite, *Roger Fritz*
Napoleon Hill et l'attitude mentale positive, *Michael J. Ritt*
Naufrage intérieur, le vrai Titanic, *Richard Durand*
Né pour gagner, *Lewis Timberlake et Marietta Reed*
Noni, cet étonnant guérisseur de la nature (Le), *Neil Solomon*
Nous: Un chemin à deux, *Marc Gervais*

Objectif: Réussir sa vie et dans la vie! *Richard Durand*

Oser... L'amour dans tous ses états! *Pierrette Dotrice*

Osez Gagner, *Mark Victor Hansen et Jack Canfield*

Ouverture du cœur, les principes spirituels de l'amour (L'), *Marc Fisher*

Ouvrez votre esprit pour recevoir, *Catherine Ponder*

Ouvrez-vous à la prospérité, *Catherine Ponder*

Paradigmes (Les), *Joel A. Baker*

Pardon, guide pour la guérison de l'âme (Le), *Marie-Lou et Claude*

Parfum d'amour, *Agathe Bernier*

Pensée positive (La), *Norman Vincent Peale*

Pensez du bien de vous-même, *Ruth Fishel*

Pensez en gagnant! *Walter Doyle Staples*

Père riche, père pauvre, *Robert T. Kiyosaki et Sharon L. Lechter*

Père riche, père pauvre (la suite), *Robert T. Kiyosaki et Sharon L. Lechter*

Périple vers la paix intérieure, le chemin de l'amour, *Marie-Lou et Claude*

Performance maximum, *Zig Ziglar*

Personnalité plus, *Florence Littauer*

Plaisir de réussir sa vie (Le), *Marguerite Wolfe*

Plus grand miracle du monde (Le), *Og Mandino*

Plus grand mystère du monde (Le), *Og Mandino*

Plus grand secret du monde (Le), *Og Mandino*

Plus grand succès du monde (Le), *Og Mandino*

Plus grand vendeur du monde (Le), *Og Mandino*

Plus grands coachs de vente du monde (Les), *Robert Nelson*

Pour le cœur et l'esprit, *Patrick Leroux*

Pourquoi se contenter de la moyenne quand on peut exceller?, *John L. Mason*

Pouvoir de la pensée positive (Le), *Eric Fellman*

Pouvoir de la persuasion (Le), *Napoleon Hill*

Pouvoir de vendre (Le), *José Silva et Ed Bernd fils*

Pouvoir magique des relations d'affaires (Le), *Timothy L. Templeton et Lynda Rutledge Stephenson*

Pouvoir triomphant de l'amour (Le), *Catherine Ponder*

Prenez du temps pour vous-même, *Ruth Fishel*

Prenez rendez-vous avec vous-même, *Ruth Fishel*

Prenez de l'altitude. Ayez la bonne attitude!, *Pat Mesiti*

Progresser à pas de géant, *Anthony Robbins*

Provoquez le leadership, *John C. Maxwell*

Puissance d'une vision (La), *Kevin McCarthy*

Quand on veut, on peut! *Norman Vincent Peale*

Que faire en attendant le psy? *Murray Banks*

Qui va pleurer... quand vous mourrez? *Robin S. Sharma*

Réincarnation: il faut s'informer (La), *Joe Fisher*

Relations efficaces pour un leadership efficace, *John C. Maxwell*

Relations humaines, secret de la réussite (Les), *Elmer Wheeler*

Renaissance, retrouver l'équilibre intérieur (La), *Marc Gervais*

Rendez-vous au sommet, *Zig Ziglar*

Retour du chiffonnier (Le), *Og Mandino*

Réussir à tout prix, *Elmer Wheeler*

Réussir grâce à la confiance en soi, *Beverly Nadler*

Rêves d'amour (Les), *Nicole Gratton*

Roue de la sagesse (La), *Angelika Clubb*

Route de la vie (La), *Carolle Anne Dessureault*

Sagesse du moine qui vendit sa Ferrari (La), *Robin S. Sharma*

S'aimer soi-même, *Robert H. Schuller*

Saisons du succès (Les), *Denis Waitley*

Sans peur et sans relâche, *Joe Tye*

Savoir vivre, *Lucien Auger*

Se connaître et mieux vivre, *Monique Lussier*

Secret d'un homme riche (Le), *Ken Roberts*

Secret est dans le plaisir (Le), *Marguerite Wolfe*

Secrets de la confiance en soi (Les), *Robert Anthony*

Secrets d'une communication réussie (Les), *Larry King et Bill Gilbert*

Secrets d'une vie magique, *Pat Williams*

Semainier du Succès (Le), *éditions Un monde différent ltée*

Sommeil idéal, guide pour bien dormir et vaincre l'insomnie (Le), *Nicole Gratton*

S.O.S. à l'amour, *Willard F. Harley, fils*

Souriez à la vie, *Zig Ziglar*

Sports versus affaires, *Don Shula et Ken Blanchard*

Stratégies de prospérité, *Jim Rohn*

Stratégies du Fonceur (Les), *Danielle DeGarie*

Stratégies pour communiquer efficacement, *Vera N. Held*

Stress: Lâchez prise! (Le), *Guy Finley*

Succès d'après la méthode de Glenn Bland (Le), *Glenn Bland*

Succès n'est pas le fruit du hasard (Le), *Tommy Newberry*

Technologie mentale, un logiciel pour votre cerveau (La), *Barbara Berger*

Télépsychique (La), *Joseph Murphy*

Testament du Millionnaire (Le), *Marc Fisher*

Tiger Woods: La griffe d'un champion, *Earl Woods et Pete McDaniel*

Tout est dans l'attitude, *Jeff Keller*

Tout est possible, *Robert H. Schuller*

Un, *Richard Bach*

Vaincre l'adversité, *John C. Maxwell*

Vaincre les obstacles de la vie, *Gerry Robert*

Vente: Étape par étape (La), *Frank Bettger*

Vente: Une excellente façon de s'enrichir (La), *Joe Gandolfo*

Vie est magnifique (La), *Charlie «T.» Jones*

Vie est un rêve (La), *Marc Fisher*

Visez la victoire, *Lanny Bassham*

Vivre au cœur de la tornade, *Diane Desaulniers et Esther Matte*

Vivre Grand: développez votre confiance jusqu'à l'audace, *Thierry Schneider*

Vivre sa vie autrement, *Eva Arcadie*

Votre force intérieure = T.N.T, *Claude M. Bristol et Harold Sherman*

Votre liberté financière grâce au marketing par réseaux, *André Blanchard*

Vous êtes unique, ne devenez pas une copie!, *John L. Mason*

Voyage au cœur de soi, *Marie-Lou et Claude*

Liste des cassettes audio:

Après la pluie, le beau temps!, *Robert H. Schuller*

Arrêtez d'avoir peur et croyez au succès!, *Jean-Guy Leboeuf*

Assurez-vous de gagner, *Denis Waitley*

Atteindre votre plein potentiel, *Norman Vincent Peale*

Attitude d'un gagnant, *Denis Waitley*

Comment attirer l'argent, *Joseph Murphy*

Comment contrôler votre temps et votre vie, *Alan Lakein*

Comment se fixer des buts et les atteindre, *Jack E. Addington*

Communiquer: Un art qui s'apprend, *Lise Langevin Hogue*

Créez l'abondance, *Deepak Chopra*

De l'échec au succès, *Frank Bettger*

Dites oui à votre potentiel, *Skip Ross*

Dix commandements pour une vie meilleure, *Og Mandino*

Fortune à votre portée (La), *Russell H. Conwell*

Homme est le reflet de ses pensées (L'), *James Allen*

Intelligence émotionnelle (L'), *Daniel Goleman*

Je vous défie! *William H. Danforth*

Lâchez prise! *Guy Finley*

Lois dynamiques de la prospérité (Les), (2 parties) *Catherine Ponder*

Magie de croire (La), *Claude M. Bristol*

Magie de penser succès (La), *David J. Schwartz*

Magie de voir grand (La), *David J. Schwartz*

Maigrir par autosuggestion, *Brigitte Thériault*

Mémorandum de Dieu (Le), *Og Mandino*

Menez la parade! *John Haggai*

Pensez en gagnant! *Walter Doyle Staples*

Performance maximum, *Zig Ziglar*

Plus grand vendeur du monde (Le), (2 parties) *Og Mandino*

Pouvoir de l'optimisme (Le), *Alan Loy McGinnis*

Psychocybernétique (La), *Maxwell Maltz*

Puissance de votre subconscient (La), (2 parties) *Joseph Murphy*

Réfléchissez et devenez riche, *Napoleon Hill*

Rendez-vous au sommet, *Zig Ziglar*

Réussir grâce à la confiance en soi, *Beverly Nadler*

Secret de la vie plus facile (Le), *Brigitte Thériault*

Secrets pour conclure la vente (Les), *Zig Ziglar*

Se guérir soi-même, *Brigitte Thériault*

Sept Lois spirituelles du succès (Les), *Deepak Chopra*

Votre plus grand pouvoir, *J. Martin Kohe*

Liste du disque compact:

Mémorandum de Dieu (Le), (deux versions: Roland Chenail et Pierre Chagnon), *Og Mandino*

transcontinental
IMPRESSION
IMPRIMERIE GAGNÉ